D0394580

Donna Leon

Über Venedig,
Musik, Menschen
und Bücher

Aus dem Amerikanischen von
Thomas Bodmer, Christiane Buchner,
Monika Elwenspoek, Reinhard Kaiser,
Christa E. Seibicke

Diogenes

Nachweis der Erstveröffentlichungen
und ihrer Übersetzer am Ende des Bandes
Umschlagfoto von Susanne Dorn
(Ausschnitt)

Copyright © 2005
Diogenes Verlag AG Zürich
www.diogenes.ch
300/05/44/1
ISBN 3 257 06487 x

Inhalt

Über Venedig

Mein Venedig

Shakespeare läßt in König Heinrich VI., 2. Teil, eine seiner Figuren sagen: »Das erste, was wir tun müssen, ist, daß wir alle Rechtsgelehrten umbringen.« Wieviel angenehmer wäre unser heutiges Leben, wenn wir statt dessen sagen könnten: »Das erste, was wir tun müssen, ist, daß wir alle Kraftwagenlenker umbringen.«

Wenn jemandem dies zu harsch erscheint und er dennoch das Verlangen hat, dem Automobil und allem, was es uns angetan hat, zu entfliehen, dann wäre es für ihn vielleicht einfacher, in Venedig zu leben. Die Freude, die es mir bereitet, in Venedig zu leben, erwächst zu einem großen Teil aus dem Umstand, daß es hier keine Autos gibt. Es hört sich zunächst ganz einfach an, und die meisten Leute denken natürlich an das Offenkundige: kein Verkehr, kein Lärm, kaum Umweltverschmutzung. Dabei hat Venedig von allen dreien mehr als seinen gerüttelten Anteil, und doch leistet das Nichtvorhandensein von Autos seinen Beitrag zu den täglichen Freuden auf andere Weisen – die ich für die bedeutenderen zu halten gelernt habe.

Da wir immer zu Fuß gehen, begegnen wir einander gezwungenermaßen. Das heißt, allmorgendlich sind die Einwohner Venedigs dazu verurteilt, ihre Nachbarn zu sehen oder gar ein Stückchen Weges mit ihnen zu gehen. Dies führt dazu, daß man miteinander plaudert und sich über die Welt oder das eigene Leben austauscht, was unausweichlich zu *un caffè* oder *un'ombra* führt, und das wiederum hat zur Folge, daß man weitere Leute trifft, weitere Gespräche führt, weitere Neuigkeiten austauscht.

Weil es keine Autos gibt, hat Venedig die Freiheit, zumindest für seine Bewohner das zu sein, was es an Zahlen gemessen ist: eine Provinzstadt mit kaum 70 000 Seelen, wo eine der wichtigsten Quellen der Unterhaltung der Klatsch ist und wo es folglich keine Geheimnisse gibt. Wenn man irgend etwas über irgend jemanden in Erfahrung bringen will, braucht man sich nur dieser morgendlichen Zufallsbegegnungen zu bedienen, und irgend jemand findet sich rasch, der einen vor diesem Antiquitätenhändler, jenem Hautarzt oder einem bestimmten Beamten in irgendeiner Amtsstube warnt. Im positiven Sinne kann dieser zwanglose Meinungsaustausch ebensogut den ehrlichen Möbelschreiner oder den besten Fischstand auf dem Rialtomarkt zutage fördern. Natürlich kann man sich derartige Informationen überall beschaffen, aber in den meisten anderen Städten erfordert das eine Autofahrt oder einen Telefonanruf. In Venedig läuft man seinen Informationen in die Arme, und als Schmiergeld ist selten mehr als ein Kaffee und eine Brioche gefordert.

Ein weiteres Geschenk, das einem ein autoloses Venedig bietet, ist die Möglichkeit, wie Katherine Mansfields Miss Brill in fremder Leute Leben hineinblicken zu können. Im Lauf der Jahre gehen Leute dauernd aneinander vorbei; nach ein paar Monaten tauschen sie ein Nicken, ein Lächeln oder nehmen auf irgendeine andere Weise voneinander Notiz. Obwohl diese Menschen nie aus ihrer freundlichen Anonymität heraustreten, erscheinen sie doch plötzlich mit einem neuen Partner oder mit Kindern, die ihrerseits schon wieder Kinder haben. Sie werden älter, werden langsamer, mitunter verschwinden sie auch ganz von der Bildfläche, und immer wieder steht man da und fragt sich, wer sie wohl sind, was sie so tun, wie sie sich in Wirklichkeit verhalten.

Ein Letztes, was uns das Fehlen von Autos aufzwingt, ist die tägliche Konfrontation mit den Grenzen unseres physischen Seins. Wenn wir etwas haben wollen, müssen wir imstande sein, es nach Hause zu tragen, oder jemanden finden, der bereit ist, es für uns zu tun. Darum läßt sich das Älterwerden schwerer ignorieren oder leugnen: Wir werden älter, und wir werden schwächer, deshalb können wir die Kartoffeln, die Orangen und das Mineralwasser nicht mehr tragen. Auch können wir nicht mehr alle Dinge an einem einzigen Tag erledigen, da wir dafür vielleicht von einem Ende der Stadt ans andere laufen müßten, oder die Vaporetti sind überfüllt, oder es liegen zu viele Brükken dazwischen.

Abschließend glaube ich, daß all diese Dinge, so banal sie scheinen mögen, denen, die hier wohnen, letztlich zum Guten gereichen. Wir leben in einer Zeit, die sich der Ausmerzung oder Leugnung aller körperlichen Anzeichen von Alter oder Schwäche ebenso verschrieben hat wie einer Überhöhung des Selbstwertes. Wir werden in zunehmendem Maße dazu angehalten, unser Gemeinschaftsgefühl in irgendwelchen Internet-Chat-Rooms zu suchen, wo wir endlose Stunden damit zubringen, mit Menschen zu plauschen, die wir niemals sehen oder anfassen werden. Venedig vermag uns auf allerlei bescheidene Weisen, und sei es nur zufällig oder manchmal sogar gegen unseren Willen, vor solchem Unfug zu bewahren.

Venezianischer Pulsschlag

Zu den verführerischsten Dingen an Venedig gehört das Gefühl des Geheimnisvollen, das einem diese Stadt vermittelt: Man weiß nie genau, was einen hinter der nächsten Biegung erwartet oder was hinter einer sich öffnenden Tür zum Vorschein kommt. Schriftsteller, Filmemacher, sogar gewöhnliche Touristen – alle werden gefangengenommen von diesem unheimlichen Gefühl, daß Dinge sich stets als etwas anderes entpuppen, als was sie auf den ersten Blick zu sein scheinen.

Nirgendwo ist das wahrer als im Fall Alberto Peratoner, dem *custode* des Uhrturms von San Marco, Sohn und Enkel von *custodi*, Wärtern des Turms; und nirgendwo zeigt es sich deutlicher als in der Arbeit, die ihn und seine Vorfahren den Großteil des 20. Jahrhunderts ernährt hat.

Uhr und Turm von San Marco wurden am 1. Februar 1499 eingeweiht und sind seit fünf Jahrhunderten Symbol dieser Stadt. Anders als alle anderen Uhren dieses Alters und dieser Größe hat diese Uhr zwei Zifferblätter, zwei Gesichter. Das eine blickt an den Statuen von San Teodoro und dem Markuslöwen vorbei aufs Wasser hinaus, das den ursprünglichen Erbauern der Stadt Sicherheit bot und später die venezianische Flotte zur wirtschaftlichen Eroberung zweier Kontinente trug. Das andere richtet den Blick über die schmale Länge der Merceria nach innen, zum Rialto, dem ökonomischen Herzen Venedigs. Wie die Stadt selbst, so ist auch die Uhr gealtert und wurde zweimal, 1757 und 1858, generalüberholt.

Luigi Peratoner wurde 1916 zum *custode* des Turms und der Uhr von San Marco bestellt; sein Sohn Giovanni trat 1945 an seine Stelle; und Alberto, der jetzige *custode*, übernahm dieses Amt 1986 nach dem plötzlichen Tod seines Vaters. Aufgabe des Uhrwärters ist es, dafür zu sorgen, daß sie geht, und das heißt, er muß zweimal täglich das große, komplizierte Uhrwerk aufziehen und die vielen Einstellungen vornehmen, die nötig sind, damit sie stets die genaue Zeit anzeigt. Nach alter Tradition wohnt der *custode* im Turm, was bedeutet, daß er nicht nur gleich neben dem tickenden Herzen der Uhr lebt, sondern auch den atemberaubendsten Blick auf eine Stadt hat, die an sich schon eine endlose Folge von atemberaubenden Anblicken ist.

Custode, der »Hüter«, der »Wärter«. In jeder anderen Stadt würde man dabei an einen gebeugten alten Mann mit blauer Schürze denken, dessen Taschen vollgestopft sind mit den sonderbarsten Werkzeugen und der zum Begreifen selbst der einfachsten Dinge etwas mehr Zeit braucht.

Aber wir sind in Venedig, wo weniges so ist, wie es auf den ersten Blick erscheint. Und so hat Alberto Peratoner Philosophie studiert und sich zu seinem Spezialgebiet Blaise Pascal erwählt. Er ist ein Mann, der durch den Tod seines Vaters mehr oder weniger in diesen Beruf hineingestolpert ist und der zwar das Ticken der Uhr im Blut hat, aber seine wahre intellektuelle Leidenschaft in der Philosophie Pascals findet. Er ist auch keineswegs gebeugt und beschürzt, ein Eigenbrötler oder Hagestolz, sondern ein gutgekleideter, wortgewandter Mann, der auch aus seiner Liebe zu Rita Morosini, seiner Frau, keinerlei Hehl zu machen versucht. Und seine Leidenschaft für Händels Musik kann er ebenfalls nicht lange verbergen.

Ihn einfach als nichts weiter als den Wärter der berühmtesten Uhr der Welt nach dem Big Ben zu bezeichnen wäre total falsch. Vielmehr ist er ein Mann, der dadurch, daß er sein Leben lang neben, in gewisser Weise sogar in dem beinah lebenden Mechanismus dieser Uhr zugebracht hat, inzwischen jede ihrer Launen, jedes Rasseln und Quietschen und Klappern kennt. Er weiß genau, in welcher Weise sich Luftfeuchtigkeit, Luftdruck und plötzliche Temperaturveränderungen auf das Uhrwerk auswirken und wie man diese mit einem Tropfen Öl bestimmter Dichte oder durch feinfühliges Anpassen eines Hebels wieder ausgleicht.

Wenn man ihn fragt, woher er weiß, welches Öl er nehmen oder wie weit er den Hebel bewegen muß, lächelt Peratoner und antwortet mit Pascals Worten, daß man *esprit de finesse* benötige, um auf das pulsierende Herz der Uhr eingehen und ihre vielen Launen verstehen zu können.

Peratoner spricht mit großer Freude darüber, daß Piaget, einer der renommiertesten Uhrenhersteller der Welt, großzügig sowohl finanzielle als auch technische Hilfe bei der Restaurierung der Uhr angeboten hat, die in den nächsten zwei Jahren vorgenommen wird. In dieser Zeit soll die Uhr zerlegt und in eine Werkstatt bei Mantua gebracht werden, wo man ausgediente Teile ersetzen wird. Nach ausgiebigen Tests soll die Uhr dann nach Venedig zurückgebracht und wieder in den Turm eingebaut werden. Am 1. Februar 1999, genau fünfhundert Jahre nach ihrer Einweihung, soll sie wieder in Betrieb genommen werden und für die Venezianer die Minuten und Stunden des Tages zählen.

Es ist sehr zu hoffen, daß Alberto Peratoner, *custode* und Philosoph, dann auch wieder sein Heim im schlagenden Herzen der Stadt beziehen wird.

Venezianische Müllabfuhr

Sporcaccione!« rief ich aus dem Fenster, und das Wort war schon heraus, bevor ich darüber nachdenken konnte. Der Mann, der da drei Stockwerke unter mir stand, erstarrte mit seiner Abfalltüte in der Hand, die er gerade an die Mauer des Hauses am anderen Kanalufer hatte stellen wollen, unter das Schild, das die Ablagerung von Müll verbot. Die normale Reaktion eines Menschen, den man anschreit, er sei ein Schweinigel, wäre es doch, aufzuschauen und sich zur Wehr zu setzen, aber das fällt wohl nicht so leicht, wenn man gerade eine Tüte Abfall in der Hand hat. Der Mann blickte statt dessen nach unten, um sein Gesicht zu verbergen, warf die Tüte seelenruhig in den Kanal, drehte sich um und ging.

Ich weiß nicht, wer er war, obwohl es sich zweifellos um einen meiner venezianischen Nachbarn handelte. Ich würde ihn nicht wiedererkennen, und das ist wahrscheinlich gut so, denn der Zorn würde mich zwingen, meine Bemerkung zu wiederholen.

Selbst angesichts meines jetzt schon dreißig Jahre
währenden Liebesverhältnisses zu den Italienern
fällt es mir schwer, bei ihnen etwas auszumachen,
was man auch nur annähernd als Bürgersinn bezeichnen könnte. Ein Blick auf eine beliebige öffent-
liche Fläche genügt als Beweis dafür: Kein Gebäude,
und sei es noch so schön, so alt, so gut erhalten, ist
vor Graffiti-Schmierern und ihren hirnlosen Krake-
leien sicher; die Felsen von Alberoni, dem einzigen
Strand, an dem man hier schwimmen kann, sind
übersät mit Plastikflaschen und -tüten; auch die
Flüsse sind voll von solchem Müll; und die Seiten-
streifen der Autobahnen würden ein Vermögen an
Flaschenpfand hergeben, wenn es denn italienische
Politik wäre, auf Flaschen Pfand zu erheben.

Als ich gestern mit Freunden in einem Boot saß
und wartete, daß sie den Motor in Gang bekamen,
hatte ich eine halbe Stunde Zeit, den Müllmännern
zuzusehen, wie sie vor dem Cinema Rossini die
Tagesausbeute an Müllsäcken in ihr wartendes Boot
warfen. Obwohl es hier Sammelstellen für Altpa-
pier gibt, war ein Viertel der Säcke und Tüten, die
da ins Boot flogen, gefüllt mit ordentlich zusammengefalteten Zeitungen, die nun alle in die Müll-
gruben oder Verbrennungsanlagen statt in die Wie-
derverwertung wanderten. Viele Leute glauben, daß
die Zeitungen, die man in die Sammelcontainer

wirft, sowieso auf dem Müll landen. Das herauszufinden ist, wie bei den meisten Dingen in Italien, nicht möglich.

Der Kanal war abgesperrt und die trockengelegte Seite aufgegraben worden, um eine Wasserleitung zu reparieren. Erst vor zwei Jahren war dieser Kanal in monatelanger Arbeit und unter hohen Kosten ausgebaggert worden, aber seit dieser Zeit hatte sich wieder eine fünf bis sechs Zentimeter dikke Schicht von schwarzem Schlamm abgelagert, der sich in seiner Widerwärtigkeit jeder Beschreibung oder Analyse widersetzte. Und in diesen Schlamm eingebettet waren die Zeugnisse von zwei Jahren Venedig: Bierflaschen, Reifen, eine städtische Mülltonne von über einem Meter Höhe, zahllose Plastiktüten – verräterische Anzeichen dafür, daß Leute ihren Abfall mir nichts, dir nichts in die Kanäle werfen.

Als vor ein paar Jahren die Kanäle um La Fenice herum gesäubert wurden, stand ich stundenlang auf einer Brücke und sah dem Bagger zu, der in der ersten Phase der Trockenlegung schon einmal die dicksten Brocken aus dem Wasser holte. Seine gezackte Klaue stieß in das schwarze Wasser und tauchte, ähnlich dem Kopf eines von Steven Spielbergs Veloceraptors, mit Fahrrädern, Reifen, verbogenen Metallteilen, die vielleicht einmal Matratzenroste gewesen waren, sogar mit einer Waschmaschine im Maul wieder auf. Für einen großen Teil der Schäden, die den Strukturen der Stadt zugefügt werden, sind Touristen verantwortlich – zumindest werden sie dafür verantwortlich *gemacht* –, aber man könnte mir nur schwer einreden, daß ein Tourist seine Waschmaschine nach Venedig schleppt, um sie hier in einen Kanal zu werfen. Abgesehen davon bietet die Stadt eine kostenlose Abholung großer Gegenstände an. Natürlich ist das Telefon meist besetzt, aber wenn man doch einmal durchkommt und einen Termin vereinbart, kommen die Müllmänner mit einem Boot und holen das Zeug ab. Es ist also vollkommen unnötig, seine Waschmaschine in einen Kanal zu werfen. Oder sein Fahrrad. Oder den Bettrost. Oder die Matratze.

Freunde von mir sind als Kinder in den Kanälen geschwommen. Ihre Eltern haben das Wasser zum Kochen genommen. Heute ist schon der Gedanke, in einen der trägen, schwarzen Kanäle zu fallen, ein danteskes Schreckbild, eine Erfahrung, die man lieber erst gar nicht überleben möchte.

Tatort Kasino

Mit Venedigs Kasino kam ich zum ersten Mal vor etwa zwanzig Jahren in Berührung, als ich nach meiner Evakuierung im Zuge des Khomeini-Umsturzes nach Venedig floh. Damals schien das Kasino genau der richtige Ort zu sein, den man als Flüchtling aufsuchte, also gingen wir hin, wurden aber schon an der Tür abgewiesen, weil mein Begleiter kein Jackett anhatte. Ich versuchte einzuwenden, daß man für uns als Flüchtlinge eine Ausnahme machen müsse. Nichts zu machen. Also gaben wir uns geschlagen, gingen ins Hotel zurück, und er holte sein Jackett.

Wieviel wir in jener Nacht verspielten, habe ich vergessen, aber nachdem wir im Iran Heim, Habe und Arbeitsplatz verloren hatten, erschien es uns nicht der Rede wert. Ich weiß nur noch, daß ich dachte, wieviel lebhafter es doch auf den Straßen des revolutionären Isfahan zugegangen war, wo die Menschen wenigstens mit lauten Stimmen redeten und an dem, was sie taten, offenbar Spaß hatten, auch wenn das nur der Sturz einer Regierung war.

In den folgenden Jahrzehnten habe ich das Kasino nicht mehr betreten, lernte aber die Menschen sehr gut kennen, die da zum Spielen hingingen. Ich lehrte zehn Jahre lang in Vicenza, eine Stunde Fahrt von Venedig entfernt, und kehrte an vier Abenden der Woche mit dem 22.04-Uhr-Zug nach Hause zurück, der 23.04 Uhr auf dem Bahnhof Santa Lucia eintraf – außer bei Streiks, Nebel, Unfällen oder einem der vielen anderen Gründe für Verspätungen. Wenn wir pünktlich einliefen und ich wie ein Hase rannte, schaffte ich gerade noch das Vaporetto Nr. 1, das um 23.06 Uhr ablegte. Zuerst nahm ich die Leute, die in San Marcuola, dem Anleger fürs Kasino, ausstiegen, nur am Rande wahr, aber nach einer Weile fielen mir gewisse Gemeinsamkeiten an ihnen auf, und nach ein paar Monaten erkannte ich sie mit absoluter Sicherheit.

Die Männer schienen alle Haarfestiger oder Spray zu benutzen, denn mochte die Nacht auch noch so windig sein, ihre Frisuren hielten jeder Böe stand. Die meisten trugen Mäntel oder in den paar Jahren, in denen das Mode war, Lammfelljacken. Darunter stets ein Sportjackett oder einen Anzug mit Krawatte. Fast alle trugen Ringe, gewöhnlich am kleinen Finger und meist mit übermäßig großem

Stein. Die Frauen zeigten größere Vielfalt, wahrscheinlich, weil sie mehr Möglichkeiten hatten, zwischen verschiedenen Haarlängen oder zwischen Rock und Hose zu wählen; die meisten entschieden sich für den Rock. Sie wirkten alle jünger als ihre Begleiter und schienen eine Vorliebe für Pelze zu haben, oder sie trugen, solange das in Mode war, *la pelliccia ecologica,* den Ökopelz in den wildesten Farben und Mustern. Ihre Schuhe hatten immer hohe Absätze, und ihre Fingernägel verrieten einen ebenso großen Einsatz von Zeit und Arbeit wie ihr Make-up.

Etwa ein Jahr lang machte ich mir einen Spaß daraus, mit mir selbst zu wetten, wer wohl in San Marcuola aussteigen würde, aber ich gewann mit so langweiliger Regelmäßigkeit, daß ich das Spiel aufgab, niemanden mehr beachtete und mich wieder den erhellten Fenstern der Palazzi widmete, an denen wir vorbeikamen, wenn wir den Canal Grande hinauffuhren.

Daß mein Interesse wieder erwachte, lag an Sansibar. 1992 veranstaltete die Polizei nach über einmonatiger Infiltration und Überwachung die »Operation Sansibar«, eine Art Blitzkrieg gegen das Casinò al Lido, bei der sieben Croupiers festgenommen wurden, alle unter dem Verdacht, das Kasino bestohlen zu haben. Und jetzt, über fünf

Jahre später – für die italienische Justiz eine sehr kurze Zeitspanne –, sollte der Fall des letzten Angeklagten vor dem Berufungsgericht entschieden werden. Ich witterte Stoff für ein Buch und beschloß, mich von neuem für das Kasino zu interessieren.

Zunächst war es nur das Interesse des Forschers, der Fakten sucht, reine Fakten, die Art von Reiseführer-Informationen, die sich oft als interessant erweisen. Das Kasino in der Ca' Vendramin am Canal Grande, dem Palazzo, in dem Richard Wagner 1883 starb, wurde 1945 eröffnet und beschäftigt heute knapp 400 Personen, meist Venezianer, davon 280 als Croupiers. In einem durchschnittlichen Jahr macht es 160 Milliarden Lire Gewinn, von dem die Hälfte direkt an die Comune di Venezia geht und einen Teil jener Mittel ersetzt, die der Stadt durch die Kürzung staatlicher Leistungen entgehen. Über eine halbe Million Menschen besuchen jährlich das Kasino, 630 000 nach dessen eigenen Unterlagen – die meisten sind Italiener und davon die meisten aus dem Veneto. Da mein Taschenrechner nur achtstellig rechnet, weiß ich nicht, wo die vielen Nullen hingehören, doch wenn ich 160 durch 630 teile, kommt 0,254 heraus, aber ich habe keine Ahnung, ob der Durchschnittsbesucher demnach 254 Lire oder 254 000 Lire verliert. Egal, wo das Komma steht, sicher ist: Das Kasino gewinnt.

Nicht daß diese Erkenntnis bis in die Hirne der Leute vorgedrungen wäre, die dort hingehen, offenbar alle von dem Glauben getragen, sie seien auserwählt, auserwählt zum Gewinnen, und zwar von viel Geld. Das wurde an dem Abend deutlich, an dem ich schließlich ins Kasino ging, um die Atmosphäre zu schnuppern und mir die Leute einmal näher anzusehen, die ich jahrelang beim Aussteigen aus dem Vaporetto Nr. 1 beobachtet hatte. Bevor sie hineindürfen, müssen sie erst mal 18 000 Lire Eintritt zahlen, aber da sie damit Zugang zu einem der schönsten Palazzi der Stadt bekommen, ist dieses Geld gut angelegt.

Das erste, was jedem auffällt, der diesen Palazzo betritt, ist der Blick aus den Vorderfenstern über den Canal Grande hinweg zur Fassade des Palazzo Belloni-Battagià. Leider wird dieser Blick meist von den Gestalten der kettenrauchenden Taxifahrer verdeckt, die hinter den Glastüren des Wassereingangs herumstehen und auf eine Fuhre zum Bahnhof, zum Piazzale Roma oder zu irgendeiner Adresse in der Stadt warten. Wenn man in diese riesige, hohe Halle tritt, stellt man sich unwillkürlich Sänger mit venezianischen Masken vor, vielleicht eine Gruppe von Vivaldis Waisenmädchen mit einer Kantate, die eigens aus festlichem Anlaß komponiert wurde. Statt dessen hört man als erstes das Ping, Ping, Ping der Münzen, die in den Bäuchen der vielen hundert Spielautomaten an den Wänden einer langen Zimmerflucht zur Linken verschwinden. Manchmal werden die gedämpften Stimmen der Spieler von einem Glockensignal übertönt, das einen neuen Sieg über Göttin Fortuna verkündet.

Am Ende der Eingangshalle befindet sich ein langer Tresen mit seriös gekleideten Angestellten dahinter, die sich von jedem Ankommenden den Paß oder Personalausweis zeigen lassen und die Angaben in ihre Computer tippen: Nationalität, Alter, Geburtsort. Danach darf der Besucher nach oben, wo die edleren Spiele gespielt werden: Bakkarat, Roulette, Black Jack.

Der Eindruck, der in diesen Räumen – prächtigen, hohen Salons, geschmückt mit dem Prunk und der Schönheit von Jahrhunderten – überwiegt, ist der eines Glaubens, der seine Zwecklosigkeit erkannt und sich damit abgefunden hat. Männer – und die Spieler sind hier fast ausschließlich Männer – sitzen oder stehen um die Tische herum, ganz auf das Spiel konzentriert, die Drehungen der Scheibe, das Aufdecken einer Karte.

Da mich das Glücksspiel nie auch nur im mindesten interessiert hat, leuchtet es mir ebensowenig ein wie Bodybuilding oder Rosenkranzbeten. Allen drei Tätigkeiten ist gemeinsam, daß sie die Zeit totschlagen und dabei die Hoffnung nähren, ihre Ausübung könne zu einer irgendwie gearteten Erlösung führen. Die Bodybuilder bekommen wenigstens eine physische Veränderung zu sehen, und alte Frauen verlieren beim Rosenkranzbeten nicht das wöchentliche Haushaltsgeld; die Vorteile, die aus dem Glücksspiel erwachsen, sind hingegen schwer zu erkennen, aber wie gesagt, es gehört zu den Dingen, für die ich mich nie interessiert habe, weshalb ich seine Anziehungskraft nicht begreifen kann.

Wie in den James-Bond-Filmen sind die Tische hier mit grünem Filz belegt, und die Croupiers tragen Smoking. In einem Land, das voll ist von bemerkenswert gutaussehenden Männern, stechen die meisten Croupiers noch hervor, vielleicht wegen der strengen Eleganz ihrer Uniformen, vielleicht auch wegen der ebenso strengen Eleganz ihres Auftretens. Im schroffen Gegensatz dazu wirken die meisten Spieler irgendwie ein bißchen verkommen, als hätten sie zu lange nicht geschlafen oder seit Wochen nur unregelmäßig und schlecht gegessen.

»Sie bedeutet mehr als alle Länder und alle Prinzen. Außer ihr existiert nichts.« Zwar meinte der englische Dichter John Donne damit die Liebe, aber dieselbe Gewißheit, daß es nichts sonst gibt, schwebt wie eine Wolke über diesen Tischen, denn nichts beansprucht die Aufmerksamkeit der Spieler als das Drehen der Scheibe oder das Aufdecken der Karte. An einem Roulette-Tisch sah ich einen neu hinzugekommenen Spieler auf einen Stapel Jetons zeigen, die unbeachtet auf dem grünen Filz lagen. »Ach, das sind meine«, sagte ein junger Mann in schlecht sitzendem grauen Anzug. Schweigend schob der Neue dem anderen die Jetons über den Tisch, wofür sich dieser weder bedankte noch sich dadurch beunruhigt zeigte, daß er in seiner Hingabe an das Spiel rund 600 000 Lire einfach vergessen und liegengelassen hatte.

Angestellte des Kasinos haben mir erzählt, daß den Leuten, die zum Spielen herkommen, das Gewinnen eigentlich gar nicht wichtig ist, sondern nur das Spiel an sich. Bei dem jungen Mann am Roulette-Tisch möchte ich aus dem Umstand, daß ihm das Geldverlieren offenbar gar nichts ausmachte, den Schluß ziehen, daß ihm das Gewinnen ebensowenig bedeutete.

Dies jedenfalls ist der stärkste Eindruck, den ein Abend im Kasino hinterläßt: das Fehlen jeglichen Anflugs von Freude – oder gar Begeisterung – bei den Männern, die dort spielen. Nie habe ich irgendeine Gefühlsregung gesehen, weder wenn der Rechen des Croupiers ein ganzes Monatsgehalt über den Tisch fortzog noch wenn er einem Gewinner den Gegenwert der Anzahlung einer Eigentumswohnung zuschob. Ihre Gesichter, die nicht einmal fähig schienen, wenigstens Langeweile auszudrücken, erinnerten mich an die Leute in den Bankfoyers der Zürcher Bahnhofstraße, die das weltweite Auf und Ab der Aktienkurse verfolgen und ebenso unbeteiligt Vermögen hin- und herschieben wie die Croupiers die Jetons über den grünen Filz.

Während die Kugeln in die ihnen bestimmten Mulden fielen, wanderte mein Blick zu der mit Fresken bemalten Decke und dann zu den Wänden der wunderschönen *sala giochi,* in der diese dunkel gekleideten Herren standen. Von links oben blickte ein dünnlippiger Adliger unter seiner Perücke mißbilligend auf uns herab. Schutzlos gegen seinen unausgesprochenen Vorwurf verließ ich den Saal und ging nach unten, um mir die Spielautomaten anzusehen.

1991 eingeführt, erwirtschaften diese Apparate inzwischen 30 Prozent der Einnahmen des Kasinos, und selbst wenn man nur kurz zwischen ihnen umhergeht, weiß man, warum. Hier nämlich sind die Venezianer so lässig gekleidet, als wären sie mal eben auf einen Kaffee in die Bar an der Ecke gegangen – es sind nicht die reichen Hazardeure aus Mailand oder Modena, die es sich leisten können, an einem Abend fünfzig Millionen Lire aus dem Fenster zu werfen. Statt dessen sieht man hier die gleichen Frauen, die auf dem Rialtomarkt um die Fischpreise feilschen, die gleichen alten Frauen, die darüber klagen, wie schwer man mit einer staatlichen Rente von 700 000 Lire im Monat auskommt. Und es überrascht ganz und gar nicht, daß hier die meisten Spieler Frauen und von diesen wiederum die meisten jenseits der Vierzig sind.

Hier braucht man, statt Spielregeln zu erlernen, Chancen auszurechnen oder, wie viele der Männer an den Roulette-Tischen, sorgsam gehütete Notizbücher mit Zahlen und abstrusen Berechnungen zu füllen, nur seine 1000-Lire-Chips aus einem Automaten zu ziehen, einen nach dem anderen in die lichterhell strahlenden Apparate zu werfen und den Hebel zu betätigen. Die computergesteuerten Maschinen sind so programmiert, daß sie 93 Prozent des Einsatzes wieder an die Spieler ausschütten. Klingt gut. Aber es bedeutet eben auch, daß jedem, der hier spielt, statistisch ein Verlust von 7 Prozent seines Einsatzes garantiert ist, egal, wie lange er spielt, egal, wieviel oder wie wenig er einsetzt.

Freude gibt es auch hier nicht zu sehen, dafür aber wenigstens zwischenmenschliche Kontakte, denn die Frauen kommen oft zu zweit, und während sie wieder und wieder die Arme heben und an den Hebeln ziehen, plaudern sie mit ihren Freundinnen – wahrscheinlich über die Fischpreise auf dem Rialtomarkt. Man mag sich ungern vorstellen, daß sie womöglich auch darüber klagen, wie schwer man mit 700 000 Lire Monatsrente auskommt.

Bürokratie all'italiana

Es gibt Zeiten, da ist das Leben in Italien der Stoff, aus dem der Irrsinn ist, da können bürokratische Trägheit oder Inkompetenz einen wild machen. Es gibt Zeiten, da sieht es so aus, als klappe gar nichts und werde auch niemals klappen, und man glaubt allmählich, daß alles, was dennoch geschieht, auf Wunder zurückzuführen ist, denn es gibt keinerlei Hinweise darauf, daß menschliches Zutun irgendeine Veränderung bewirken kann oder jemals könnte. An manchen Tagen finden Beamte aller Couleur ihre einzige Freude darin, sich querzulegen – dann richten sie ihr Augenmerk unnachsichtig auf den kleinsten Buchstaben eines jeden Gesetzes, jeder Vorschrift. Es werden Versprechen gegeben und nicht gehalten, und Fortschritt will einem als Illusion erscheinen.

Aber dann, wie wenn an einem Wolkentag der Wind ganz plötzlich von Süden kommt und die Wolkendecke in Stücke reißt, klart der Himmel auf, und Italien erstrahlt in all seiner ordnungswidrigen, menschlichen Schönheit. Solche Augenblicke sind es, die mich daran erinnern, daß dieses Land trotz all seiner gewaltigen Probleme das einzige ist, in dem ich leben möchte.

Im Spätherbst war ich in den USA und schickte von dort per Luftfracht den kleinen Sekretär meiner Mutter nach Venedig, ein Möbelstück, mit dem ich aufgewachsen war, ihr Geschenk zu meinem sechzehnten Geburtstag. Als er ankam, fuhr ich zur Spedition am Flughafen, wo die Sekretärin mir die Frachtpapiere überreichte und sagte, ich solle damit zum Zoll gehen.

Dort betrachtete ein junger Beamter mit sizilianischem Akzent und maßgeschneiderter Uniform die Rechnungen und Begleitpapiere, und als er sah, daß ich – aus rein versicherungstechnischen Gründen – einen Wert von 300 Dollar darauf angegeben hatte, rechnete er rasch nach und eröffnete mir, daß ich 280 000 Lire Zoll zu entrichten hätte. Ich erklärte ihm, die eingetragene Summe sei rein fiktiv und der Sekretär habe nur Erinnerungswert. Das schien ihn nicht weiter zu interessieren, und er nannte noch einmal die Summe von 280000 Lire. Ich senkte die Stimme, legte ein rührseliges Vibrato hinein und kniff die Augen zu, als müßte ich an etwas furchtbar Trauriges denken. »Aber er gehörte doch – *a mia madre.*«

Er blickte auf, als hätte er soeben mit Erstaunen entdeckt, daß jemand, der zum Zollamt kam, eine Mutter haben konnte.

»*A sua madre?*«

»*Sì.*«

Er blickte wieder auf das Papier, das ich ihm hinstreckte, aber die Zahlen standen noch immer darauf. Ich fragte, ob es etwas nützen würde, wenn ich den angegebenen Wert des Sekretärs abänderte. Dazu müsse ich, erklärte ich ihm, indem ich auf die Zahlen zeigte, nur den Dezimalpunkt um eine Stelle nach links verschieben und eine Null anhängen. So würden aus den 300 Dollar 30.00 Dollar.

Er betrachtete angelegentlich das Papier, ließ sich das soeben Gehörte durch den Kopf gehen, blickte wieder auf und sah mir unangenehm lange ins Gesicht. Unter Kopfschütteln – zweifellos ob der Unverfrorenheit, ganz zu schweigen von der Ungesetzlichkeit meines Vorschlags – nahm er mir dann das Papier ab, entschuldigte sich und ging damit in das Zimmer zurück, aus dem er gekommen war, während ich darüber nachgrübeln durfte, welche Strafe wohl auf Zollbetrug stand und ob man mich auch gleich noch wegen versuchter Beamtenbestechung belangen werde.

Nach ein paar Minuten kam er wieder aus seinem Büro, die Papiere noch immer in der Hand.

Ich blickte mit verzagtem Lächeln auf, felsenfest überzeugt, daß ich nun außer den Zollgebühren auch noch für meine kriminellen Absichten würde bezahlen müssen. Da hob er das Papier in die Höhe, und mit einer ebenso galanten wie eleganten Geste riß er es entzwei, der Länge nach.

»Der Sekretär gehörte Ihrer Mutter, Signora, darum gibt es dafür keinen Zoll zu entrichten«, sagte er, und dabei breitete er die Arme aus und ließ die beiden Papierhälften an seinen Händen flattern wie die zerfetzte, in fairem Kampf erbeutete Fahne eines besiegten Feindes.

Diplomatischer Zwischenfall

Einmal, es ist schon eine Weile her, war ich zu einem Empfang für den Stellvertretenden Konsul der Vereinigten Staaten eingeladen, der eigens von Mailand nach Venedig kam, um bei uns einen außerordentlichen Gesandten zu küren. Da ich eine amerikanische Freundin von mir, die auch in Venedig lebt, für die geeignete Kandidatin hielt, erklärte ich mich bereit, mit ihr hinzugehen und für sie zu werben. Außerdem trug meine Einladung den handschriftlichen Vermerk: »Wären *Sie* vielleicht an dem Posten interessiert?«

Als ich in der Galerie am Canal Grande eintraf, wo der Empfang stattfand, waren bereits an die fünfzig Personen versammelt, von denen ich jedoch nur eine einzige kannte. Ich ließ mir ein Glas Mineralwasser geben und sah mich ein bißchen um. Die weiblichen Gäste waren, wie Cäsars Gallien, dreigeteilt: hier die hochgewachsenen Blondinen, die alle auf Namen wie Muffy oder Alison hörten und kunstvoll um die Schultern drapierte Seidenschals spazierenführten; dort die älteren Semester, meist mit kurzgeschnittenen, grauen Haaren und jener verräterisch starren Mimik, die auf ein Facelifting schließen läßt; und zu guter Letzt eine bunt zusammengewürfelte Schar wandelnder Fleischberge aller Altersklassen. Bei den Männern waren offenbar nur zwei Gruppen vertreten: die gammeligen Turnschuhträger und die reifen Herren im feinen Zwirn, wobei die Anzüge mehrheitlich noch aus der Zeit vor der Pensionierung stammten und inzwischen entweder zu weit oder zu eng saßen.

Meine Freundin war noch nicht da, aber irgend jemand hatte Benjy mitgebracht, einen Norfolk-Terrier, in dessen Gesellschaft ich mich nicht ganz so verloren fühlte.

Aus dem Raum nebenan erklang Applaus, und ich schlenderte hinüber. Der Konsul, ein junger Mann mit kurzem schwarzen Haar, verlas zum Auftakt die Thanksgiving-Rede unseres Präsidenten. Der pries die lange Tradition rassenübergreifender Harmonie in den Vereinigten Staaten, ein hohes Gut, das wir alle, so der Präsident, an diesem Tage feierten. Ich aber mußte unwillkürlich an die Sklaverei denken und an die Ausrottung der Indianer und beschloß daher, nicht mitzufeiern. Als unser Präsident sich dann auch noch dreimal auf Gott berief, zog ich mich in die Küche zurück, wo ich mir noch ein Mineralwasser holte und ein paar Worte mit Benjy wechselte.

Sobald die Ansprache des Präsidenten zu Ende und der Beifall verklungen war, kam der Konsul auf das Amt des außerordentlichen Gesandten zu sprechen und erläuterte, welche Anforderungen damit verbunden seien. Der oder die Gesandte sollte amerikanischen Touristen behilflich sein, die beraubt oder sonstwie in Schwierigkeiten geraten waren; er oder sie würde sich mit der italienischen Bürokratie auseinandersetzen und vielleicht auch einmal für den Heimtransport eines in Venedig verstorbenen Amerikaners sorgen müssen. Die Publikumsreaktion auf diesen letzten Punkt veranlaßte den Konsul, von seinem Manuskript abzuweichen. Und mit jener Wärme, die bei Amerikanern für Aufrichtigkeit steht, räumte er ein, das Gehalt sei zwar nicht berauschend, dafür gebe es aber tolle Privilegien: sehr viele Partys, und wenn Senatoren oder Kongreßabgeordnete Venedig besuchten, dürfe der oder die Gesandte ihnen die Stadt zeigen. Prompt hörte ich mich einem vierschrötigen Rindfleischesser erklären: »Nein, nein, Senator, das da ist kein Shopping-Center, sondern eine Kirche.« Auf den Schreck flüchtete ich mich erneut zu Benjy, bis der Beifall für dieses verlockende Privileg verhallt war.

Endlich hatten wir den offiziellen Teil hinter uns

gebracht, übrigens ohne daß meine Freundin noch aufgetaucht wäre. Ich holte meinen Mantel, band mir den Schal um und wandte mich zum Ausgang. Zuvor bedankte ich mich noch artig bei der Gastgeberin: Es täte mir sehr leid, aber ich müsse jetzt gehen.

»Wollen Sie sich denn nicht um den Posten bewerben?« fragte sie.

Ich lächelte mit jener Wärme, die bei Amerikanern für Aufrichtigkeit steht. »Lieber zünde ich mir die Haare an«, sagte ich, dankte ihr noch einmal und machte mich auf den Heimweg.

Leichte und schwere Kost

Mit der Orange fing es an. Vor ein paar Tagen war ich bei Roberta, meiner ältesten Freundin hier in Venedig, zum Abendessen, und nachdem wir Pasta und Salat verzehrt hatten, griff ich nach einer Orange.

Da sagte Roberta mit schreckensweiten Augen: »Die willst du doch nicht etwa essen?«

Unter Aufbietung aller mir bekannten Feinheiten der italienischen Sprache fragte ich: »Hä?«

»Die Orange«, sagte sie und zeigte mit zitterndem Finger auf die anstößige Frucht. »Die willst du doch nicht essen.« Ich überlegte, ob die Orange vielleicht faul oder einfach ihre letzte war. Aber nein, beides schien nicht der Fall zu sein, also fragte ich: »Warum?«

»Weil das Blei ist«, begann sie, und dann erklärte sie mir, daß Orangen am Morgen Gold und am Mittag Silber sind, aber abends, nach dem Essen verzehrt, verwandelt irgendeine gastronomische Alchimie sie auf der Stelle in Blei. Und da war es endlich, das konkrete Beispiel, in dem sich das fundamentale Geheimnis italienischer Lebensart und Kultur enthüllt, die diamantenklare Erläuterung eines Systems, das sich mehr als drei Jahrzehnte lang meinem Verständnis widersetzt hat.

Für Italiener ist Nahrung weit mehr als nur zum Essen da. Oder deutlicher ausgedrückt, alle Nahrung hat für Italiener eine zusätzliche Qualität jenseits von Geschmack und Nährwert: Speisen sind entweder *pesante* oder *leggero*, also leicht oder schwer. Ich bin Amerikanerin, Bürgerin des Landes, das den Küchen der Welt das Popcorn und den Big Mac geschenkt hat, darum sind diese Begriffe für mich verwirrend und waren es schon damals, als ich vor mehr als dreißig Jahren zum ersten Mal nach Italien kam. Denn Amerikaner machen um das Alltagsgeschäft des Essens nicht viel Aufhebens, und Nahrung hat, anders als in Italien, noch keinen Kultstatus erreicht. Wir unterscheiden auch nicht zwischen leichter und schwerer Kost, daher also unsere Verwirrung, wenn wir uns vor die Tatsache gestellt sehen, daß *alle* Italiener offenbar *alle* Nahrungsmittel in leicht und schwer unterteilen.

Mit dem Eifer der gewissenhaften Anthropologin versuchte ich mein Wissen über dieses Glaubenssystem zu vertiefen und bat Roberta, es mir zu verdeutlichen. Nachdem sie das lang und breit getan hatte, schälten sich einige überragende Prinzipien heraus.

Leicht oder schwer scheint eher etwas mit der Mutter zu tun zu haben als mit einem den Speisen innewohnenden Grad der Verdaulichkeit. Was deine Mutter gekocht hat, ist leicht, egal, ob es sich um gedünstete Zucchini oder um Pasta mit Butter, Sahne und Parmesan handelt. Letztere kann auch als leicht eingestuft werden, glaube ich, weil alle Zutaten weiß sind und dies die eindeutige Farbe der Leichtigkeit ist, wie bei Huhn und Kalbfleisch.

Alles, was man nicht mag, ist schwer. Ebenso ist alles schwer, was man kurz vor einer Erkältung zu sich genommen hat. Erkältungen bekommt man nämlich, wie hier hinzugefügt werden muß, nur infolge eines *colpo d'aria,* eines Luftzugs, während die Erregertheorie im italienischen Glaubenssystem kein großes Gewicht hat und eine der Auswirkungen einer Erkältung ist, daß sie alles schwer macht, was man innerhalb der letzten sechs Stunden vor dem Auftreten der ersten Symptome verzehrt hat.

Pasta kann schwer oder leicht sein, je nachdem, mit welcher Soße sie serviert wird. Man sollte annehmen, Blumenkohlsoße sei leicht (da sie weiß und eigentlich schon darum leicht ist), aber Blumenkohl gehört zur Kohlfamilie, und das macht ihn schwer. Tomaten sind, da sie Säure enthalten, schwer, sofern sie nicht sehr lange gekocht wurden, das macht sie leicht. Es sei denn, deine Mutter mochte sie nicht, dann sind sie eben zu ewiger Schwere verdammt.

Zwiebeln verändern sich, wie Orangen, in Abhängigkeit von der Tageszeit, zu der man sie ißt, wobei sie die Neigung haben, mit dem Voranschreiten des Tages immer schwerer zu werden. Gebratenes ist immer schwer, sofern es nicht in einem leichten Öl gebraten wurde, wobei dessen Leichtigkeit wieder davon abhängt, für wie rein das Öl gehalten wird.

Wenn ich das alles noch einmal durchlese, stelle ich fest, daß es für mich noch immer keinen Sinn ergibt und mir als das Produkt eines umwölkten Verstandes erscheint. Vielleicht bekomme ich ja eine Erkältung. Oder ich habe vielleicht etwas Schweres gegessen.

Neue Nachbarn

Vor ein paar Monaten zog ich, auch dies eine Folge des Wohnungsdesasters, das mich zwei Lebensjahre gekostet hat, in eine Mietwohnung nicht weit von der, wo ich vorher fünfzehn Jahre lang gelebt hatte. Diese neue Wohnung ist größer, heller und höher; sie ist überhaupt ganz wunderbar, mit Blick auf die Glockentürme sowohl von San Marco als auch von Santi Apostoli.

Dasselbe Fenster, das mir den Blick auf den Glockenturm von San Marco gewährt, ermöglicht es mir auch, in den Hof eines Palazzo hinunterzuschauen. Dieses Haus ist so berühmt, daß ich Venezianern, denen ich erklären möchte, wo ich wohne, nur zu sagen brauche, das sei in der Nähe ebendieses Palazzo, schon können sie mich auf dem Stadtplan, den wir hier alle im Kopf haben, genau einordnen.

Der Palazzo ist nämlich das psychiatrische Zentrum, der Ort, an den die verschiedenen wunden Seelen der Stadt jeden Tag kommen, um sich ihre

Medikamente, Therapien oder Beratungen abzu-
holen, die sie über den Tag bringen. Das eigentliche Irrenhaus auf der Insel San Clemente wurde
vor Jahren infolge eines Gesetzes geschlossen, das
darauf abzielt, geistig Behinderten dadurch zu helfen, daß man sie wieder in das Gemeinschaftsleben
einbindet und so auch wieder in die Gesellschaft
eingliedert.

Ob das klappt oder nicht, weiß ich nicht. Ob
diese armen Seelen mit der Schließung des Irren-
hauses besser oder schlechter fahren, könnte ich
nicht sagen. Ich weiß nur, was ich vom Fenster meines Arbeitszimmers aus beobachte und was ich
durch die Fenster aller Zimmer in meiner Wohnung
höre.

Die Tore des Palazzo öffnen sich für die Patienten
um acht Uhr früh, aber schon vorher verschaffen
sich die Mitarbeiter Einlaß durch die großen höl-
zernen Portale, die den Hof von dem kleinen Cam-
piello nebenan trennen. Sie kommen, die ersten
ruhelosen Patienten, gegen fünf Uhr, jedenfalls im
Frühling und Sommer, und wecken mich allmorgendlich mit ihren Reden und Gesängen und lauten, hitzigen Debatten. Wie leidenschaftlich oder
ruhig diese Diskussionen auch verlaufen, die ich da
mithöre, wie zornig die Worte auch sein mögen,
sie sind immer nur für eine Solostimme geschrie-

ben, denn selten reden sie miteinander, solange sie sich noch vor den Mauern des Palazzo befinden.

Wer sie sind oder warum sie dorthin gehen, weiß ich nicht. Es wird natürlich geklatscht, und sicher könnte ich erfahren, welche Geschichte über jeden einzelnen von ihnen erzählt wird, aber eine gewisse Schamhaftigkeit hält mich vom Fragen ab, selbst bei meinen Nachbarn, die hier schon seit Jahren mit ihnen leben. Da ist diese dunkelhaarige Frau, die ich seit dreißig Jahren auf der Strada Nuova auf und ab gehen sehe: Seltsamerweise ist sie gealtert, während ich das selbstverständlich nicht bin. Da ist die Frau, die mit der Gleichmäßigkeit eines Metronoms beim Gehen hin- und herpendelt, nicht zu verwechseln mit der, die sich mit winzigen Roboterschritten fortbewegt. Und da ist Laura, kräftig, blond, um die Vierzig. Sie sitzt den ganzen Tag auf dem Hof, unablässig rauchend, und nie habe ich sie mit jemandem sprechen sehen.

Letzte Woche hörte ich einmal laute Stimmen, die mich ans Fenster lockten, und sah hinunter in den Hof. Zwei Männer und eine Frau hatten sich zu Laura an den Tisch gesetzt, und sie hatte ein kleines Stofftier vor sich auf den Tisch gestellt, viel zu klein, als daß ich von fern die Spezies hätte ausmachen können. »O Laura, che bella«, »Laura, fammi vedere, che bella.« Für ein paar Minuten

49

saß die stumme Laura im Mittelpunkt der lauten, aufrichtigen Bewunderung, dann ließ sie ihr kleines Stofftier von Hand zu Hand gehen, während alle dessen Loblied sangen und ihr sagten, was für ein Glück sie habe, es zu besitzen. Sie gingen sehr behutsam damit um und behandelten Laura mit dem gleichen Respekt; sie hätten eine Reliquie oder ein Baby nicht vorsichtiger angefaßt.

Schließlich nahm Laura das Stofftier und stellte es wieder vor sich auf den Tisch. Sie bot einem der Männer eine Zigarette an; er nahm sie, und sie gab ihm Feuer. Und ich wandte mich ab, bevor ich anfing zu weinen.

Das Höllenhaus

Es war Liebe auf den ersten Blick, und nicht zum erstenmal erwies sie sich als mein Verderben. Seit zwei Jahren war ich schon auf der Suche nach der vollkommenen venezianischen Wohnung. Ich wußte gar nicht so genau, was ich wollte, nur daß die Wohnung in einem oberen Stockwerk liegen und einen wunderbaren Ausblick haben sollte. Ich suchte und suchte, und es erging mir so ähnlich wie dem Esel in *Winnie the Pooh*: Je mehr ich guckte, desto weniger war sie da. Immobilienmakler hatten mir *palazzi, piani nobili, appartamenti* gezeigt, und nichts von allem, was ich zu sehen bekam, hatte mir in irgendeiner Weise gefallen.

Bis Mirco, der Mann vom Gemüseladen an der Ecke, mir sagte, er habe gehört, daß in dem Palazzo hier an der Straße, dem freistehenden mit dem Garten, eine Wohnung privat zum Verkauf stehe. Drei Telefongespräche später hatte ich die Besitzerin ausfindig gemacht, und sie wollte mir das Objekt gern zeigen.

Wie so viele Menschen, über die ein Unglück kommt, war ich eine willige Komplizin meines eigenen Untergangs. Ich begab mich also hin, ging durch den verwilderten Garten, die leicht nach Katze riechende Treppe hinauf, an den kleinen Rissen in den Wänden vorbei und hinein in die Wohnung. Nichts in ihr machte auf mich besonderen Eindruck, bis die Besitzerin zu den vorderen Fenstern ging, scheinbar beiläufig die Läden aufstieß und – ganz Venedig sich vor mir zu verbeugen schien. Wenn man nach rechts blickte, sah man den oberen Teil der Fassade von Santi Giovanni e Paolo, geradeaus den fernen Glockenturm von San Francesco della Vigna, eine Art Miniaturausgabe von San Marco, und zur Linken ein Meer von Dächern, die alle sattbraun in der Nachmittagssonne glänzten. Von anderen Fenstern aus sah ich den Glockenturm von San Marco selbst, einen Kanal glatt und grün unter mir, einen Garten, weitere Dächer. Weil ich nur Augen für die Aussicht hatte, verschwendete ich keinen Blick auf das Mauerwerk, sah also nur, was ich sehen wollte. Und so kaufte ich die Wohnung. Einen Bauingenieur kommen lassen, damit er sich das Ganze einmal ansah? Einen Architekten zu Rate ziehen? So etwas Verrücktes. Zwei Freunde kamen und fanden den Ausblick herrlich, also schloß ich den Handel ab, und die Wohnung war mein.

Zwei Wochen später bat ich meinen Architekten, einmal vorbeizuschauen, damit wir über die von mir gewünschten Sanierungsarbeiten sprechen konnten: zwei Bäder runderneuern, eine Küche einbauen und eventuell das Parkett abschleifen lassen. Er war begeistert von dem Ausblick, aber als Architekt sah er sich auch das Mauerwerk an und war alles andere als begeistert. Als er sich nach einem Blick aus dem Fenster nach unten wieder umdrehte, sagte er: »*Non mi piace quello spanciamento del muro.*« – Diese Wölbung in der Mauer gefällt mir nicht.

Noch arglos fragte ich: »Was für eine Wölbung?« Er sagte es mir, und er zeigte es mir.

Das war die Geburtsstunde meines Verderbens, auch wenn ich es damals noch nicht wußte. Er versicherte mir, es müsse ein leichtes sein, die übrigen Hausbewohner von der Notwendigkeit baulicher Verbesserungen zu überzeugen, und inzwischen könne ich ruhig schon einmal mit meinen eigenen Sanierungsarbeiten anfangen. Ich ließ also die Arbeiter kommen und in sieben Zimmern den Putz von den Decken reißen, unter dem die originalen Balken aus dem 17. Jahrhundert zum Vorschein kamen, dreizehn Meter lang und alle nicht nur schön, sondern auch noch intakt. Dann kam der Maler, der sie alle abschliff, ebenso die noch guten Bretter dazwischen – eine Arbeit, die drei Mann einen vollen Monat lang beschäftigte.

Die übrigen Besitzer schlossen sich mir nicht etwa an, wie mein Architekt geglaubt hatte, sondern wollten von seinen Beteuerungen, das Gebäude habe statische Probleme, nichts hören. Sie wollten Beweise, und dazu mußte ich einen Bauingenieur hinzuziehen, der die genaue Art und das Ausmaß der statischen Schwächen feststellen sollte. Seine Untersuchung ergab, daß eine Restaurierung durch den Vor-Vorbesitzer soviel Mehrbelastung auf die Konstruktion gebracht hatte (und wer hatte diese Arbeiten genehmigt, wer sie abgenommen?), daß sie aus dem Lot geraten war, was die Mauern derart schwächte, daß der ganze Palazzo »in pericolo« – in Gefahr – sei.

Ganz einfach, dachte ich: Jetzt muß ich nur den anderen fünf Eigentümern klarmachen, daß unser Haus einsturzgefährdet ist, dann werden sie sich dem Diktat der Vernunft beugen und gemeinsam das Haus so bald wie möglich reparieren lassen. Wie konnte ich, nachdem ich schon über zwanzig Jahre in Venedig lebe, nur auf den gesunden Menschenverstand von Venezianern bauen?

Schnell erzählt (denn es langsam zu erzählen hieße, schmerzhafte Wunden für zu lange aufzureißen), wir stritten weitere anderthalb Jahre darüber, ob das Gebäude nun einsturzgefährdet war oder nicht, wozu ein zweiter Bauingenieur hinzugezogen werden mußte, der schließlich die Diagnose des ersten bestätigte. Nun könnte man argwöhnen, dies hätte eine allgemeine Einsicht in ihre Schlußfolgerungen bewirkt; es bewirkte aber nur den Ruf nach einem dritten Gutachten.

Während dieser ganzen Zeit hatten die Maler alle Balken abgeschliffen, und drei Tage nachdem sie fertig waren, zogen die beiden Architekturstudenten in die von ihnen gemietete Mansardenwohnung über mir ein (sie war von der Straße aus nicht zu sehen und hatte leer gestanden, als ich meine Wohnung kaufte, so daß ihr Vorhandensein mir gar nicht aufgefallen war), und jeder ihrer Schritte, jeder Ton ihrer Techno-CDs, jedes ihrer Worte hallte durch meine Wohnung. Dann regnete es, und Wasser strömte aus ebendieser Wohnung herunter, Folge einer bei der Restaurierung illegal eingebauten Dachterrasse. Dann regnete es wieder, und diesmal strömte das Wasser aus einer verstopften Regenrinne herunter. Dann platzte in der Dusche der Mansardenwohnung ein Rohr, und wieder hatte ich eine Überschwemmung. Es war wie *acqua alta* im dritten Stock.

Habe ich etwas vergessen? Etwa den Dalmatiner der Leute aus dem ersten Stock, der meinen

Garten mit einem Teppich aus Hundekot überzog? Die Katze aus dem zweiten Stock, die das Treppenhaus zu demselben Zweck benutzte? Die Gartenmauer, die bröckchenweise auf die Straße vor dem Haus zu stürzen begann? Den Boiler der zentralen Heizungsanlage, der sich nachts einfach nicht abstellte und so in einem Jahr eine Heizkostenrechnung von über 17 Millionen Lire verursachte, wovon 28 Prozent auf mich entfielen, obwohl ich gar nicht in dem Haus wohnte?

Über ein Jahr lang habe ich unter diesem Haus gelitten, bin von Amt zu Ingenieurbüro, von Eigentümerversammlung zu Architekt gerannt, alles in der Hoffnung, meine Mitbewohner doch noch zur Einsicht in die feststehende und offenkundige Tatsache zu bewegen, daß der Palazzo einsturzgefährdet war. Ich konnte von nichts anderem mehr reden, an nichts anderes mehr denken; alle Urlaube, alle meine Reisen wurden in Abhängigkeit von diesen Terminen geplant. Und eines Morgens wachte ich auf und hörte das Dröhnen eines schweren Motors, als hätte jemand seinen Lastwagen in meinem Wohnzimmer geparkt und den Motor laufenlassen. Ich ging ins Wohnzimmer. Da stand kein Lastwagen, aber der Lärm hämmerte immer noch in meinen Ohren. Streß.

Am nächsten Morgen rief ich eine Immobilienmaklerin an und bat sie, die Wohnung zu verkaufen. Nein, einen bestimmten Preis hätte ich nicht im Sinn, mir sei jeder recht, den sie erzielen könne. Ich hatte über ein Jahr lang dafür bezahlt und wollte einfach nicht noch länger bezahlen. Eine Woche später rief sie mich an und sagte, sie habe ein Opfer – äh, einen Käufer – gefunden. Ich traf mich mit ihm und klärte ihn in chronologischer Reihenfolge – und ohne in Tränen auszubrechen – über alle Probleme der Wohnung auf. O nein, nicht weil ich ein besonders ehrlicher Mensch wäre, sondern weil ich ihm kein Schlupfloch lassen wollte, durch das er sich später womöglich hätte herauswinden können. Er wollte die Wohnung trotzdem kaufen.

Nächsten Monat werden wir den endgültigen Vertrag unterschreiben. Ich wohne jetzt zur Miete und lese keine Immobilienanzeigen in den Zeitungen mehr. Ich schlafe gut. Das Ohrenbrausen ist weg. Bald wird es auch die Wohnung sein.

Mordlust

Hin und wieder werde ich gefragt, ob auch Alltagserlebnisse Eingang in meine Bücher finden. Bis vor einem Jahr lautete die Antwort darauf, das komme eher selten vor und wenn, dann nur ganz am Rande. So spazierte die Mutter einer Freundin in eine Szene hinein und wieder heraus, der Hund von irgend jemandem hatte einen kleinen Auftritt, Brunetti kaufte seinen *parmigiano* in La Baita oder Blumen bei Biancat. Doch jeder größere Versuch, mein Leben auszuschlachten, schlug fehl, und ich mußte mich damit begnügen, an klitzekleinen Häppchen persönlicher Erfahrung herumzuknabbern.

Bis. Bis vor etwa vier Jahren, als mich in einer gerade erst neubezogenen Wohnung nachts um halb vier der Lärm einer wilden Verfolgungsjagd, orchestriert von ratternden Maschinengewehrsalven und quietschenden Autoreifen, schier aus dem Bett warf. In Venedig. Morgens um halb vier.

Schlaftrunken stand ich auf, schaute aus dem

Fenster und sah den Brunnen, die gotischen Pfeiler des Gebäudes zur Linken und darüber den ersten Maienvollmond. In seinem Halbschatten lag unter mir, still und reglos, der Platz. Trotzdem brausten weiter Autos um die Kurven, Bremsen kreischten, abermals fielen Schüsse, gefolgt von einer gewaltigen Karambolage. Meine malträtierten Sinne taten sich zusammen, verbanden Licht mit Geräusch, und ich begriff, daß Autolärm und Schüsse ebenso wie der flackernde Lichtschein aus dem Schlafzimmerfenster meiner Nachbarin von gegenüber kamen, einer weißhaarigen alten Frau von kolossaler Körperfülle, die ich in den zwei Tagen seit meinem Einzug kurz am Fenster gesehen hatte.

Noch einmal ertönten qualvolle Schreie, vermutlich aus dem Autowrack, und eine Männerstimme, die in jenem gekünstelten Tonfall sprach, an dem man italienisch synchronisierte Filme erkennt, rief: »Wie konnte jemand *das* überleben?«

Berechtigte Frage. Ich schleppte mich durch den Flur nach hinten und überlebte im Gästezimmer.

Am nächsten Morgen ging ich über den *campo*, suchte den Namen der alten Frau am Klingelschild neben der Tür, die allem Anschein nach zu ihren Fenstern gehörte, ging wieder heim, schlug ihre Telefonnummer nach und rief sie an. Durch die geschlossenen Fenster konnte ich sehen, wie sie sich, um ans Telefon zu gelangen, seitwärts wälzte wie ein Walroß, das dem Sonnenstand folgend über den Strand robbt. Erst war ich völlig verdutzt, als eine laute Männerstimme an mein Ohr drang, doch dann wurde mir klar, daß ich wegen der geschlossenen Fenster den Fernseher nicht gehört hatte. Mit ausgesuchter Höflichkeit versuchte ich, den Grund meines Anrufs zu erklären, aber sie sagte, bei dem Krach könne sie mich nicht verstehen, und legte einfach auf.

Vielleicht sollte ich, statt mich nutzlos aufzuregen, indem ich hier noch einmal chronologisch darlege, wie die Situation im folgenden eskalierte, lieber aufs Geratewohl einige der Vorfälle herausgreifen, die mir besonders deutlich in Erinnerung geblieben sind. Es gab eine Phase, da bat ich einen venezianischen Freund, sie anzurufen und im einheimischen Dialekt zu bitten, den Fernseher leiser zu stellen, weil der Krach sein kleines Kind wach hielte. Als das nichts fruchtete, verwandelte er sich in einen Studenten, der fürs Examen lernen mußte, und als auch das fehlschlug, wurde seine Frau unheilbar krank. Aber die Lärmbelästigung dauerte an.

Ich probierte es mit der Türklingel. Dazu mußte ich mir einen Regenmantel über den Pyjama ziehen, gewöhnlich so um vier Uhr morgens 67 Stufen hinuntersteigen, quer über den *campo* zu ihrer Haustür laufen und endlich den Finger so lange auf der Klingel lassen, bis sie den Ton leiser stellte. Einmal besann ich mich in meiner Verzweiflung auf einen alten Kinderstreich, klemmte ein Zündholz in den Klingelknopf und machte mich davon. Aber alles, was dabei herauskam, war, daß die Klingel kaputtging und man die Signora hinfort nur noch telefonisch erreichen konnte.

Im dritten Jahr wandte ich mich in meiner Not an alle in Frage kommenden Instanzen: Sozialdienste, Polizei, Carabinieri und Feuerwehr. Binnen kurzem erfuhr ich, daß die alte Frau früher einmal in psychiatrischer Behandlung gewesen war, daß ihre Familie nichts mit ihr zu tun haben wollte und daß der Polizei die Hände gebunden waren. »Sie ist alt, Signora. Haben Sie Geduld. Wenn Sie wüßten, wie viele solcher Fälle es hier in Venedig gibt…« Falls ich offiziell Anzeige erstattete, würden vielleicht irgendwann im Laufe des Jahres die Tontechniker vorbeikommen und den Geräuschpegel messen. Allerdings seien die nachts nicht im Einsatz.

Nach einiger Zeit erkannten mich sämtliche Carabinieri schon an der Stimme, wenn ich um zwei oder drei oder vier Uhr morgens anrief, und manchmal schickten sie eine Streife vorbei, die an ihrer

Tür klingelte und zu ihren Fenstern hinaufrief, um dann unverrichteter Dinge wieder abzuziehen. Ich wechselte von den Carabinieri zur Feuerwehr, aber die erklärte mir, daß sie nur in Notfällen ausrücke, und ein Fernseher, der fünf Stunden lang in die Nacht hinausplärrt, sei kein Notfall. »Was wäre denn ein Notfall?« fragte ich. »Wenn die alte Dame stürzte und sich verletzen würde.«

Wenn sie stürzte und sich verletzen würde. Wenn sie stürzte und sich verletzen würde. Wenn sie stürzte und sich verletzen würde. Drei Nächte danach stand ich an meinem Schlafzimmerfenster und spähte hinüber zu ihr, die im Bett lag und tief und fest schlief, während beide Fernseher – denn sie hatte noch einen im Wohnzimmer – unterschiedliche Programme in die Nacht hinausschmetterten. Da rief ich die Feuerwehr an und meldete, daß ich meine Nachbarin nicht wie sonst in ihrem Bett sehen könne. Und ich hätte Angst, sie sei womöglich gestürzt und habe sich verletzt, denn der Fernseher laufe noch.

Zwanzig Minuten später erschienen drei Stockwerke tiefer auf dem *campo* sechs Feuerwehrmänner, von denen einer bei ihr klingelte. Ich nippte, wenn mich mein Gedächtnis nicht trügt, an einer Tasse *Gute-Nacht-Tee* und sah zu, wie sie, uniformierten Ameisen gleich, unter mir herumwuselten.

Als die Klingel nicht anschlug, begannen sie den Namen der Signora zu ihren Fenstern hinaufzurufen. Einer spähte auch zu meinem verdunkelten Fenster herüber, doch ich rührte mich nicht, sondern trank nur still meinen Tee.

Die sechs Männer verschwanden, kamen aber nach ein paar Minuten mit einer dreiteiligen Steckleiter zurück. Umsichtig und mit einer durch langes Training erworbenen Geschicklichkeit montierten sie die Leiter, richteten sie, unter ihrem Gewicht schwankend, auf und stemmten sie gegen die Hausmauer. Ein Feuerwehrmann in Schutzanzug und mit schweren Stiefeln schickte sich an, hinaufzuklettern. Weil er bald das Schlafzimmer der alten Frau erreichen würde, von wo aus ich womöglich zu sehen war, zog ich mich ins Wohnzimmer zurück. Oben angekommen, stieg der Mann durchs Küchenfenster ein und wandte sich zum Schlafzimmer. »Signora, Signora, ist alles in Ordnung?« rief er laut und verschwand aus meinem Blickfeld.

»Aiieeeeee!« Vergegenwärtigen Sie sich den ärgsten Schrei, den Sie je in einem Horrorfilm gehört haben, wenn die Heldin von einem Dinosaurier gefressen oder unter dem Fuß einer Riesenechse zermalmt wurde. Verdoppeln Sie ihn, und Sie haben den lieblichen Laut, der gleich darauf die Stille jener Nacht durchdrang. Aber dann wurde der Fernseher im Schlafzimmer ausgeschaltet und der im Wohnzimmer auch, und ich ging wieder zu Bett, ohne mich weiter um das Geschehen auf der anderen Straßenseite zu kümmern.

Die Zeit vergeht, und alles bleibt beim alten. Inzwischen verbringe ich den Großteil des Sommers fern von Venedig, aber in meinem Telefon ist die Nummer der Nachbarin gespeichert und auch die der Feuerwehr, was mir, wenn schon keine ungestörte Nachtruhe, so doch wenigstens ein paar Stunden Schlaf garantiert.

Ach ja, die Bücher, die Bücher! Mein Roman *Beweise, daß es böse ist* beginnt damit, daß ein Arzt sich zum wöchentlichen Hausbesuch bei einer seiner betagten Patientinnen einfindet. Der erste Satz lautet: »Sie war ein altes Ekel, und er haßte sie.« Der Arzt, der einen Schlüssel hat, sperrt die Wohnungstür auf und hört wie gewöhnlich den Fernseher plärren. Er wendet sich zum Wohnzimmer, wo er sich wieder einmal ihre Klagen anhören und das Rezept für die Schlaftabletten erneuern wird.

Doch als er das Wohnzimmer betritt, sind die Stimmen aus dem Fernseher plötzlich überlagert vom Surren eines Fliegenschwarms, der den Kopf seiner Patientin umschwirrt. Denn da liegt sie, tot, in einer Lache aus geronnenem Blut. Der zertrümmerte Schädel ist aufgespalten wie eine Melone, das

Gesicht von Spritzern weißer Gehirnmasse übersät.

Die Zeit vergeht. Alles bleibt beim alten. Sie ist
immer noch da, und der Fernseher findet keinen
Schlaf, genausowenig wie ich.

Da Giorgio

Vor ein paar Monaten saß ich in meiner Wohnung und wartete sehnsüchtig auf den Klempner, der sich für drei Uhr angesagt hatte. Es wurde drei, vier, fünf. Und dann, kurz vor sechs, kam er, entschuldigte sich wortreich und erklärte, schuld sei ein Auftrag, der immer umfangreicher werde, je mehr er sich reinhänge. Einen venezianischen Klempner muß man behandeln wie ein rohes Ei. Also beteuerte ich, es sei weiter nicht schlimm, und erkundigte mich höflichkeitshalber nach dem Auftrag, der ihn so lange in Anspruch genommen hatte.

»Giorgio läßt sein Bad erneuern«, bekam ich zur Antwort. Nun muß man wissen, daß der Klempner ganz in meiner Nähe wohnt und wir beide denselben Gemüsehändler haben: Signor Giorgio. Die zeitraubende Renovierung blieb also gewissermaßen in der Familie, was die Verspätung beinahe entschuldbar machte.

Ich halte immer gern einen Schwatz mit den Nachbarn, und so fragte ich den Klempner, was denn alles gemacht würde in Giorgios Bad.

»Er kriegt neue Armaturen, und die Wände werden mit schwarzem Marmor gekachelt.«

»Mit schwarzem Marmor?«

»Ja.«

»Bei Giorgio?«

»Ja.«

»Giorgio *il fruttivendolo*?«

»Oh, nein, bei dem anderen Giorgio. Dem netten Signore aus Rom, der den Palazzo um die Ecke gekauft hat. Giorgio – wie heißt er doch gleich? Olmini? Olmoni?«

Das konnte nicht wahr sein. »Giorgio Armani?« fragte ich mit bebender Stimme.

»Ja, genau! Armani, so heißt er. Sind Sie mit ihm befreundet? Kennen Sie ihn?«

Nein, ich kannte ihn nicht, leider: Wie gern hätte ich ihm sonst diese Geschichte erzählt.

Arme Leute

In der allgemeinen Vorstellung ist der Name Venedig mit vielen Bildern und historischen Erinnerungen verknüpft: kostbaren Juwelen, Palazzi, üppig gekleideten Aristokraten auf Karnevalsbällen. Oder man denkt an duftende Gewürze, berühmte Gemälde, Samt, Überfluß in allen Formen. Umgekehrt kann der Name aber auch die gegenteiligen Vorstellungen heraufbeschwören: von Krankheiten, Pest und Tod. An eines aber denkt man selten, wenn das magische Wort Venedig fällt: Armut, obwohl man Armut ganz gewiß zwischen den Palazzi und vornehmen Häusern der Serenissima findet. Da ist zum einen die ungewollte Armut alter Leute, die von einer mageren staatlichen Rente leben müssen; dann die gewollte Armut wohlhabender Leute, die sich dem Laster des Geizes ergeben haben. Diese beiden Formen haben gemeinsam, daß sie unsichtbar bleiben, verborgen hinter den Türen der Häuser, den Toren der Scham.

Die einzige Form der Armut, die sich sowohl

den Einwohnern als auch den Touristen zeigt, ist die von den Bettlern der Stadt offen dargebotene Armut, wobei die Tatsache, daß sie öffentlich zur Schau gestellt wird, in keiner Weise dafür garantiert, daß sie echt ist. Seit Jahren gehört eine gewisse Anzahl von Bettlern zu den Wahrzeichen verschiedener Stadtteile, wobei, wie es in heutigen Zeiten oft geschieht, die Einheimischen mehr und mehr durch den Zustrom von – wenn man so will – Gastarbeitern verdrängt werden.

Nehmen wir zuerst die Einheimischen. Da bleibt, oft auf dem Ponte Sant'Antonio kauernd, nur ein paar hundert Meter vom Rialto, ein grauhaariger Mann von etwas über Sechzig, der seinen Armstumpf auf dem Schoß liegen hat wie ein Hündchen. Die andere Hand hält er über den Kopf, um von den Vorübergehenden Almosen zu erbitten. Als Saisonarbeiter ist er nur bei kaltem Wetter da, aber immer ohne Jacke, zweifellos um dem Betrachter dieses Jammerbildes noch zusätzlich eine Gänsehaut zu machen.

Gerüchten zufolge wohnt er auf Burano und soll dort mehrere Häuser besitzen. Zu Weihnachten gab mein Freund Roberto ihm fünftausend Lire, nicht weil er so arm war, sondern zum Ausgleich dafür, daß sein Stolz ihm nicht verbot, sich derart zur Schau zu stellen.

Dann ist da die Frau mit den dunklen Haaren, die einmal Lehrerin gewesen sein soll, bis ein Mann ihr vor zwanzig Jahren das Herz brach, und seit jener Zeit schlurft sie die Strada Nuova auf und ab, den Kopf gesenkt in ihrer Verzweiflung, die Schritte verlangsamt durch die Medikamente, die ihr die Ärzte des öffentlichen Gesundheitssystems zu geben für richtig halten. In diesen zwanzig Jahren habe ich sie altern sehen, zweifellos strategisch blind für den gleichen Vorgang bei mir selbst. Ich habe die Ringe unter ihren Augen dunkler, ihr Haar lang wachsen und dann wieder kurz werden sehen, wenn jemand es ihr geschnitten hatte oder, was weiß ich, sie selbst mit einem Küchenmesser darangegangen war.

Manchmal hält sie Leute an und bittet um tausend Lire oder eine Zigarette. Ich rauche nicht, also gebe ich ihr immer den Schein. Den lege ich in ihre Hand, lächle dabei und versuche ihr in die Augen zu sehen. Einmal war ich ohne Handtasche aus dem Haus gegangen und hatte nur fünfhundert Lire bei mir, aber die schlug sie aus. »*Mi servono mille lire*«, beharrte sie, bestürzt ob der vermeintlichen Abfuhr. Nicht zornig. Bestürzt. Wieviel besser wäre Zorn gewesen.

Noch so einer ist dieser eiförmige junge Mann im Overall, oft mit angemaltem Gesicht oder wild gefärbtem Haar. Es geht die Sage, daß er vor Jahren nach Fernost gegangen sei, gegangen als blitzgescheiter junger Mann, wiedergekommen in diesem bedauernswerten Zustand, ohne sein Hirn, das er den Drogengöttern Indiens geopfert habe. Er bittet jetzt nicht mehr um Geld und scheint in den letzten Jahren ruhiger geworden zu sein. Manchmal sieht man ihn der Länge nach in einem Hauseingang liegen und die Vorübergehenden anlächeln, nicht bedrohlicher als eine Katze.

In lebhafter Erinnerung habe ich auch noch das Bild meiner ganz besonderen Freundin, jener weißhaarigen Frau, die jahrelang am Fuß des Ponte delle Erbe saß, nicht weit vom Altersheim des Ospedale Civile, in dem sie dem Vernehmen nach wohnte. In Hausschuhen und Morgenmantel folgte sie tagsüber dem Lauf der Sonne, bewegte sich mit ausgestreckter Hand langsam immer weiter am Kanal entlang in Richtung Campo Santa Marina. Etwa alle sechs Monate verschwand sie ein, zwei Tage und kehrte danach mit frisch geschnittenem und dauergewelltem Haar auf ihren Posten zurück. Sie ist jetzt schon seit Jahren nicht mehr da, aber man erinnert sich ihrer und spricht sehr liebevoll von ihr.

Den neuen fehlt jeder Charme, sie haben weder Phantasie noch Gespür. Es sind größtenteils Zigeuner, und die meisten scheinen zur selben Sippe zu gehören, denn ich sehe sie in der Gruppe ankommen, pünktlich wie deutsche Fabrikarbeiter, täglich kurz nach neun vom Bahnhof kommend die Strada Nuova hinaufmarschieren. Am Campo Sant'Angelo trennen sie sich, ein jeder begibt sich zu seinem Arbeitsplatz, und später treffen sie sich wieder zu einem Picknick auf dem Campo Santa Maria Nova.

Was mich an ihnen fasziniert, ist ihre unglaublich gute Organisation: Anscheinend haben sie alle die gleichen Schilder umhängen, meist handgeschrieben, manchmal aber auch vom Computer ausgedruckt in schlagzeilengroßen Buchstaben, und alle enthalten die gleichen wohlüberlegten Grammatikfehler: *»Ho tre bambino«*, *»Sono profogo dal Bosnia.«* Und immer wieder die letzte Zuflucht, entsprechend der steigernden Wiederholung, die der Dichter des *Beowulf* so liebte: *»Ho fame«* – ich habe Hunger. Da kann man nicht viel falsch schreiben. Obwohl diese Leute schon so lange hier sind, wie ich zurückdenken kann, verwandelten sie sich vor ein paar Jahren in bosnische Flüchtlinge. Angebliche Moslems, die für ihren Glauben leiden, hat jeder auf dem Boden seiner Bettlerschale ein Heiligenbildchen mit einer kitschig-bunten Madonna liegen.

Vor ein paar Monaten war eine allgemeine Änderung der Taktik zu beobachten, eine überraschende, zumal hier in Italien, dem angeblich einzigen Land, dem das Kind noch heilig ist. Innerhalb einer Woche waren sämtliche Kinder – auf der Schulter, an der Brust oder verdreckt im Schlepptau der Mutter – verschwunden. Ersetzt durch junge Hunde.

Die Italiener? Sie geben, werfen ein paar hundert Lire in Schalen oder Hüte, oft tausend Lire, manchmal mehr. Mütter geben ihren Kindern Geld und sagen ihnen, sie sollen hingehen und es dem Bettler geben. Ich habe keine Ahnung, ob die Hündchen einträglicher sind als die Kinder. Für Italien, für uns alle will ich es nicht hoffen.

Über Musik

Sieben Warnungen
für den Opernbesuch

Vor einiger Zeit überredete mich ein Freund, doch einmal den ästhetischen Kokon der Barockoper zu verlassen und ihn zu Bellinis *I puritani* ins Zürcher Opernhaus zu begleiten. Bellini sei im übrigen gar nicht so weit vom Barock entfernt, argumentierte er; eine Abwechslung könne nicht schaden; es würde mir bestimmt gefallen. Schwach, wie ich bin, willigte ich ein, doch während der über dreistündigen Aufführung sah ich nichts, was mich auch nur im mindesten von meiner Vorliebe für die Barockmusik abgebracht hätte.

Nachträglich angestellte nüchterne Betrachtungen über die versammelten Scheußlichkeiten jenes Abends haben mich bewogen, ein paar Warnungen aufzustellen, die man bei einem Opernbesuch beachten sollte. Obwohl sie mit Blick auf eine bestimmte Inszenierung entstanden, dürften sie wohl auf so ziemlich alle Opernaufführungen anwendbar sein. Und so offeriere ich sie denn dem geneigten Publikum in bester Absicht und mit ästhetischer Großmut und hoffe, daß Opernbesucher in einem Hause, wo gegen eine dieser Regeln verstoßen wird, den Mut finden mögen, von ihren Sitzen aufzuspringen und schreiend in die Nacht hinauszufliehen.

1. Vor Betten wird gewarnt. Falls während einer Vorstellung irgendwann ein Bett auf der Bühne erscheint, das nicht zur Kulisse eines Schlafgemachs gehört, dann handelt es sich höchstwahrscheinlich um ein *Symbol*. Opernregisseure, denen es an Einfällen gebricht, behelfen sich gern mit *Symbolen*, was nicht dasselbe ist. Das *puritani*-Bett kam in Geschenkverpackung und mit roter (noch ein *Symbol*) Schleife.

2. Die Darsteller dürfen nicht wie Figuren aus einem Walt-Disney-Cartoon kostümiert sein. In Zürich trug die Königin von England ein Kleid, das dem von Aschenputtels böser Stiefmutter erschreckend ähnlich sah, einschließlich des hohen, abgesteiften Kragens, der ihren Hals stützte, als hätte sie bei dem Versuch, Aschenputtels Kutsche zu entführen, ein Schleudertrauma erlitten.

3. Die Haare des Tenors dürfen nie länger sein als die der Sopranistin, schon gar nicht, wenn seine einen scheußlichen Rotstich haben.

4. Tiere haben auf der Bühne nichts zu suchen. Als in Zürich der Held, ein Prinz-Charming-Ver-

schnitt (siehe oben, Regel 2), die Bühne betrat, trug er auf der behandschuhten Faust ein gefiedertes Etwas, das vermutlich einen Falken oder sonst einen Raubvogel vorstellen sollte und das in gewissen Abständen, pünktlich wie ein Uhrwerk, mit den Flügeln schlug, womöglich damit sein Deodorant rascher trocknete. Anschließend äugte es scharf nach rechts und links und suchte ebenso vergeblich wie ich nach etwas Sehenswertem auf der Bühne.

5. Den Chor sollte man niemals sinnlos im Kreis herumrennen lassen. Selbst wenn der Kreis aus dem Green eines Golfplatzes herausgestanzt wurde, macht das die Rennerei noch nicht *bedeutsam*.

6. Ensemblemitgliedern ist dringend davon abzuraten, mit Topflappen als Kopfbedeckung aufzutreten. So wie ihn aus meiner Perspektive – ohne Opernglas – ein kahlrasierter Darsteller zu tragen schien. Mag sein, daß der Lappen eine Perücke vorstellen sollte, aber Perücken sind für gewöhnlich größer als eine CD-Scheibe, und so muß ich notgedrungen glauben, daß es sich um einen Topflappen handelte, noch dazu ein besonders widerliches Exemplar, braun und speckig. Die Perücken der übrigen Darsteller waren nicht minder widerlich, aber immerhin groß genug, um als Perücken durchzugehen.

7. Die Sopranistin sollte im Laufe des Abends

nicht immer wieder so verzweifelt umherblicken, als wünschte sie inständig, sie hätte auf ihren Agenten gehört und, statt sich das hier anzutun, für die *Lustige Witwe* in Graz unterschrieben.

Wie Schönheit uns befreit

Ein oberflächlicher Blick auf das gängige Opern-repertoire könnte den Eindruck erwecken, daß Freiheitsliebe zu den zugkräftigsten Themen des Genres gehört. Vergegenwärtigen Sie sich nur einmal die Handlung einiger unschlagbarer Publikums-Hits: Aida sehnt sich danach, die Ketten der Sklaverei abzuschütteln, und will sich von den Mächten befreien, die ihrer Liebe zu Radames im Wege stehen; Tosca möchte den Nachstellungen Scarpias entfliehen und frei sein für ihren Gesang; Rodelinda, die Königin der Langobarden, will sich des aufdringlichen Grimoaldos entledigen; Don Carlo und Florestan streben nach politischer Freiheit; sogar Figaro spielt mit der subversiven Idee. Die Liste ließe sich beliebig fortsetzen, und passionierte Operngänger könnten leicht ein Dutzend weiterer Titel nennen, aber soviele Beispiele man auch anführt, die gepriesenen Freiheitsideale blieben doch immer reduziert auf das Gegenteil von Willkür und Tyrannei.

Mich hingegen interessiert mehr jene Freiheit, welche die Oper, ja eigentlich jede Kunstgattung, sowohl dem Künstler wie auch dem Publikum beschert. Normalerweise sprechen wir nicht in fünffüßigen Jamben, schon weil das Versmaß die Sprache in ein unnatürliches Korsett zwängt. Wenn aber ein großer Lyriker sich seiner bedient, befreien Melodie und Rhythmus die Sprache von der Last und Trägheit einfallsloser Prosa; dann schwingt sich so ein Vers in die Lüfte empor und beflügelt mit seinen Bildern unsere Phantasie.

Für gewöhnlich brechen die Menschen auch nicht spontan in Gesang aus, nicht einmal in Augenblicken höchster Leidenschaft. Die Oper hingegen befreit Liebe, Leidenschaft oder Zorn aus ihrer profanen Erdgebundenheit und veredelt sie in Form von Gesang.

Was nun das Publikum angeht, so wird kaum ein Leser während der Lektüre enthusiastisch aus dem Sessel springen; ebenso wenig wie ein Ausstellungsbesucher die Stille eines Museums oder einer Galerie entweiht, um dem Entzücken oder Unmut Ausdruck zu verleihen, die ein Gemälde in ihm weckt. Die Oper dagegen erlaubt – man könnte sogar sagen: befördert – genau solche exzessiven Reaktionen. Ob dies nun am anonymen Dunkel des Zuschauerraums liegt oder ob die Fans sich von der Gesellschaft Gleichgesinnter anstacheln lassen, sei dahingestellt; jedenfalls verleitet das Medium Oper seine glühenden Anhänger offenbar zu Verhaltensweisen, die sie normalerweise albern und peinlich fänden. In der Oper dürfen wir Bravo schreien und mit Händen und Füßen den Takt schlagen wie Angehörige eines primitiven Stammes, die ihre Freude durch rhythmisches Trommeln artikulieren. Wir dürfen sogar kreischen, johlen, pfeifen oder gegebenenfalls einen Sänger ausbuhen, kurz, uns aufführen wie Fußballhooligans in Abendgarderobe.

Und noch eine Freiheit schenkt uns die Oper, nämlich die zu frivolen Ausschweifungen: Das Wochenende in Salzburg ist teurer als eine Monatsmiete – na wenn schon. Hatte Gott etwa nicht Cecilia Bartoli im Sinn, als er die Kreditkarte erschuf? Du besuchst an Weihnachten nicht deine arme alte Mutter, sondern gehst lieber in die Oper? (Aber deine arme alte Mutter singt zu Weihnachten auch nicht den Bertarido im Duett mit Dorothea Röschmann, oder?) Was denn, du fliegst für einen Tag nach San Francisco? Kurz gesagt: Diese Gier, diese Leidenschaft oder Schwäche für das Schöne – wie immer man es definiert – befreien uns von allen Skrupeln, so daß wir willig jeden Preis entrichten, um seiner Spur zu folgen.

Und welche Gegenleistung bekommen wir für diese unsere Exzesse? Eine Handvoll Noten, angerichtet von ein paar Dutzend Musikern, ein paar Sängern und einem stöckchenschwingenden Frackträger. Dazu Kostüme, vielleicht eine Straußenfeder, ein, zwei Kulissen und Akteure, die sich mehr oder weniger elegant über die Bühne bewegen. Und das ist auch schon so ziemlich alles, wäre da nicht der Zauber der Kunst. Wenn er sich entfaltet, durchströmt uns jenes erregende Glücksgefühl, das nicht von dieser Welt ist. Solch rare Momente, selbst wenn sie nur ein paar Herzschläge lang dauern, stellen sich ein, sobald wir Zeugen einer gelungenen Darbietung werden und, befreit von den Nichtigkeiten der eigenen Existenz, eine Ahnung von dem erhaschen, was die antiken Philosophen einst die »divina celestia« nannten.

Die Kunst ist wie ein Wegelagerer, der uns jederzeit überwältigen kann. Sie lauert in einem Gedicht, das uns unvermutet beglückt; sie verbirgt sich in der Linienführung einer Zeichnung, im verschnörkelten »R« eines illuminierten Manuskripts oder hinter Jagos Hohngelächter. Einige von uns erleben sie am intensivsten in jenen seligen Augenblicken, wenn die Stimme, sie ganz allein, einen bestimmten Ton trifft und hält und mit ihrem Gesang unseren Geist befreit.

La serva fedele – Cecilia Bartoli

Irgendwo in einem dieser dicken Bücher, die alle loben und kaum jemand zu Ende liest, behauptet Alexander Solschenizin kategorisch, Sängerinnen und Sänger seien nicht intelligent. Nun, da hast du dich verhauen, Alexei, denn wenn Cecilia Bartoli einen überwältigenden Eindruck vermittelt, dann den Eindruck von Intelligenz, musikalischer Intelligenz, verfeinert, konzentriert und fokussiert auf eine Kunst, für die sie höchsten Respekt empfindet und zu deren größten Zierden sie selbst gehört.

Der russische Romanautor ist sonderbarerweise nicht der einzige, der Sänger so einschätzt; wer sich einige Zeit in der Opernwelt bewegt, bekommt endlos oft zu hören, daß das Talent in der Kehle ende und es einfach nicht bis zum Hirn hinauf schaffe. Erstaunlicherweise ist dieses Gerücht auch über Bartoli verbreitet worden: Sie sei eine *ragazza simpatica* aus Rom, habe eine großartige Stimme und sei auf der Bühne wunderbar, doch solle ich bloß nicht hoffen, mit ihr über anderes sprechen zu können als über Männer, schnelle Autos und Essen.

Wo kommt so etwas her? Wer ist der erste Mensch, der so etwas gesagt oder – noch idiotischer – geglaubt hat? Ist Eifersucht die Triebfeder? Aber eifersüchtig sein auf Cecilia Bartoli könnte nur jemand mit gleich viel Talent wie sie, und solche Leute gibt es herzlich wenige. Oder manifestiert sich hier die schiere schäbige Boshaftigkeit, die – auch auf Kosten der Wahrheit – unbedingt eine Schwäche finden muß und keine Ruhe läßt, bis sie auf Anzeichen der Unvollkommenheit gestoßen ist? Raffiniert jedenfalls, es auf dem Umweg der Trivialisierung zu tun und nicht durch einen direkten Angriff, denn an Bartolis Gesang oder ihrer Musikalität läßt sich wahrlich nichts aussetzen. Also wird kritisch eingewendet, Bartoli habe eine »kleine« Stimme (was immer das heißt); das ist ungefähr so, als sagte jemand, Emily Dickinsons Gedichte seien kurz gewesen. Ja, und dann ist da noch ihr Interesse für Männer, Autos und Essen.

Nach fünf Minuten in ihrer Gegenwart ist das Gerücht erledigt, wirkt die Vorstellung, diese Person könnte sich sonderlich für Trivialitäten interessieren, schlicht absurd. Cecilia Bartoli ist jung und reagierte zunächst etwas nervös auf die Begegnung mit einer Unbekannten, die als Aberhundertste die wahre Geschichte aus ihr herausholen wollte. Doch sowie wir auf die Musik zu sprechen kamen, verflog ihre Nervosität, leuchteten ihre Augen auf (soweit diese Augen überhaupt noch stärker leuchten können) und verwandelte sich die junge Frau, die im hereinströmenden Sonnenlicht bei einer Tasse Kaffee saß, in eine Musikerin ersten Ranges.

Zuerst sprachen wir über *Le nozze di Figaro* – nicht über ihre Susanna letzte Spielzeit in Zürich, sondern über jene, die sie letzten Oktober an der Met gesungen hatte. Drei Jahre vor der Aufführung, erklärte sie, seien sie und der Dirigent James Levine übereingekommen, es wäre für das Publikum interessant und würde Mozart gerecht, wenn sie viermal die ursprüngliche Wiener Fassung von 1786 präsentierten und dann viermal die Fassung, die der Meister für die Wiederaufnahme 1789 in Wien geschrieben hatte, als die erste Fiordiligi, Adriana Ferraresi del Bene, die Rolle der Susanna übernahm und Mozart für sie zwei Ersatzarien komponierte. So könnte das New Yorker Publikum die Ersatzarien im Rahmen einer Aufführung statt in einem Rezital hören, wohin sie üblicherweise verbannt würden.

Es ging alles gut, bis der Regisseur Jonathan Miller angesichts der Vorstellung, die Ersatzarien könnten aufgeführt werden (oder er müßte sich da-

für eine andere Inszenierung einfallen lassen), aus-
rastete. Ich möchte darauf hinweisen, daß es bei
dem ganzen Aufruhr um exakt zwei Arien ging.
Zuerst weigerte er sich, überhaupt etwas damit zu
tun zu haben, und als er zum Einlenken gezwungen
wurde, beschuldigte er in der New Yorker Presse
die Met, sie erdreiste sich, Mozarts Musik zu verändern.

Hier wurde Cecilia Bartoli ernsthaft. »Wir haben Mozart gegenüber eine große Verantwortung
und müssen uns in unserer Ungewißheit ständig
fragen: ›Was hat Mozart gewollt?‹ Wir sind ver-
pflichtet, das zu tun, was er beabsichtigt hat, nicht
das, was wir wollen. Ich bin nichts als *una serva fedele*, eine treue Dienerin seiner Musik. Er ist das
Genie.«

Bei der Met-Geschichte versuchte Bartoli zunächst mit dem Engländer zu argumentieren, doch
dann, sagte sie, »befand ich mich plötzlich in der
Situation, Mozarts Musik rechtfertigen zu müssen«.
Sie lachte über die Absurdität der Situation und
wiederholte: »Mozarts Musik rechtfertigen.« Ähnlich sah sich der englische Dichter Milton von der
Aufgabe belastet, den Menschen gegenüber die
Wege Gottes rechtfertigen zu müssen. Milton blieb
hartnäckig, und so entstand *Paradise Lost*. Bartoli
und Levine blieben ebenfalls hartnäckig, und das

Publikum war von beiden Fassungen begeistert. Millers Getue erregte solches Aufsehen, daß es ein Ding der Unmöglichkeit wurde, zu einer der acht Aufführungen überhaupt noch Karten zu erhalten.

Nach den Austauscharien und der Tendenz der Medien, die Dinge aufzubauschen, kamen wir auf unsere nächsten beiden Themen zu sprechen: den *Giulio Cesare* in Basel und die angebliche Bartoli-Biographie von Manuela Hoelterhoff, der ehemaligen Opernkritikerin des *Wall Street Journal.*

Das Alter hat den Vorteil, uns Demut zu lehren. Ich wagte die Bemerkung, bei der *Giulio Cesare-*Inszenierung neulich in Basel habe der Regisseur nach Belieben noch ein paar Arien aus anderen Händel-Opern mit hineingeschmissen. Hier muß ich gestehen, daß ich dies zumindest teilweise darum tat, weil ich ihr zeigen wollte, daß auch ich ein gewisses musikalisches Fachwissen gespeichert habe, und so ließ ich denn meine Empörung über diese Entweihung des heiligen Textes anklingen.

»Wieso denn?« fragte sie mit ihrem absolut umwerfenden Lächeln. »Das ist doch nichts anderes, als was Händel selbst praktiziert hat: Der hat Arien aus eigenen oder fremden Opern herausgepickt und mit hineingeschmissen, wenn sie besser zu den Stimmen der neuen Sängerinnen und Sänger paßten, mit denen er gerade arbeitete.« Und los ging's mit einer kurzgefaßten Darstellung der Opern-Aufführungspraxis des 18. Jahrhunderts, die einem Winton Dean oder jedem anderen Spezialisten auf diesem Gebiet bestens angestanden hätte. Was Cecilia Bartoli sagte, war wunderbar frei von jeglicher Pedanterie; hier sprach vielmehr jemand kenntnisreich und leidenschaftlich über einen bestens vertrauten und geliebten Gegenstand. Wie alle, die je an einem Gymnasium oder in einer Universität gelitten haben, wissen, ist dies das Geheimnis: die Leidenschaft. Wenige Lehrkräfte haben sie, und noch weniger können sie vermitteln.

Demütig geworden, hörte ich zu, wie sie Sänger, Inszenierungen und Aufführungen als Beispiele anführte, und zum Schluß hatte sie mich bekehrt: Verdammt, was Händel recht gewesen war, hatte Teufel noch mal auch uns recht zu sein.

Mit glühender Begeisterung sprach sie davon, wie diese Aufführungen unter Händel gewesen sein mußten, wo es den Sängerinnen und Sängern auszuschmücken und zu improvisieren erlaubt war, und ich fragte mich, wie es wäre, eine Aufführung zu hören, in der Cecilia Bartoli die gleiche Freiheit, musikalische Verzierungen zu schaffen, zugestanden würde.

Als wir wieder auf den Boden kamen, fragte ich

sie nach dem Hoelterhoff-Buch, bei dessen Lektüre ich mir fast etwas schmuddelig vorgekommen war. Im Buch *Cinderella and Company* erhebt die Autorin den Anspruch, die Jahre zu schildern, in denen Bartoli sich auf die allererste Inszenierung von Rossinis *La Cenerentola* an der Met vorbereitete, außerdem vermittelt sie den Eindruck, die Sängerin sei an der Entstehung des Buchs beteiligt gewesen. Das Endprodukt liest sich freilich wie die Mischung eines Kessler-Zwillinge-Artikels in der *Bunten* und des Drehbuchs für eine brasilianische Soap Opera. Es als billig und vulgär zu bezeichnen hieße, der Autorin Lorbeerkränze zu flechten.

Im Lauf des Buchs wird Bartoli beiläufig als Sängerin gelobt, doch mehr musikalische Aufmerksamkeit wird ihr oder ihrem Werk nicht geschenkt. Hoelterhoff scheint viel interessierter an Berechnungen, wieviel Sängerinnen und Sänger verdienen (immer zu viel, macht es den Anschein) und wie viel sie wiegen (dito). Diese Konzentration auf Profit und Körpergewicht rief mir immer wieder in Erinnerung, dass Ms. Hoelterhoff ihrem Namen zum Trotz eine echte Amerikanerin ist.

Bartoli war entrüstet, dass Hoelterhoff ihr Buch als Musikbuch ausgab oder als Betrachtung der Sängerin Bartoli, obschon darin kaum etwas über

Musik oder Gesang zu finden ist. »Ich habe mit ihr über Händel und Haydn gesprochen, und sie hat nichts als Klatsch geschrieben.« Ich fragte, ob sie sich rechtliche Schritte überlegt habe, und sie lächelte: »Damit würde ich Signora Hoelterhoff direkt in die Falle gehen, nicht wahr? Das Buch ist während der *Nozze*-Aufführungen erschienen – hätte sich bessere Gratiswerbung denken lassen? Außerdem bereitete ich damals gerade *Rinaldo* vor und mochte keine Zeit mit Anwälten verschwenden.« Ich selbst bedaure, Zeit mit Hoelterhoff verschwendet zu haben. Bartoli wurde nachdenklich und sagte, nicht ohne einen Unterton des Mitleids: »Mit diesem Buch hat sie genug verdient, um sich *filetto* zu leisten. Doch meiner Meinung nach ist es besser, ehrlich zu bleiben und Brot und Zwiebeln zu essen.« Vielleicht haben die Klatschmäuler doch recht: Sie spricht tatsächlich über Essen.

Das Thema Verrat blieb uns erhalten, als wir uns *Così fan tutte* zuwandten, einer weiteren Oper, in der Bartoli als Sängerin triumphierte. »Alle werden verraten, und zwar von allen anderen. Die Schwestern verraten ihre Liebhaber, die Liebhaber die Schwestern. Don Alfonso, *un uomo veramente maligno*, verrät alle zusammen. Und die arme Despina, die einzige Verräterin wider Willen, verrät ihre Herrinnen und muß für immer mit dieser

Schuld leben. Tragisch, tragisch das Ganze.« Sie hielt einen Augenblick inne und sagte dann: »Ist es nicht seltsam, daß der Schluß von *Così* uns nicht zum Weinen bringt? Am Schluß der *Butterfly* wird geweint – man weint und hat die Sache vergessen. *Così* hingegen vergessen wir nicht.« Auf die Frage, warum dies so sei, antwortete sie: »Weil der Verrat in der *Butterfly* ein Melodramen-Verrat ist: Sie sehen es, weinen und vergessen, denn mit dem richtigen Leben hat das nichts zu tun. Doch in *Così* geht es um heutigen Verrat, den Verrat aller Zeiten.«

Wie es sich wohl gehört, wenn man mit einer Opernsängerin spricht, fragte ich sie nach ihrer Meinung über die Drei Tenöre. »Das ist ein Event, und so sollte auch darüber nachgedacht oder geschrieben werden: Es ist ein Event, das absolut nichts zu tun hat mit Oper, einer Opernaufführung oder auch nur ihren Karrieren als Opernsänger. Wenn Zucchero ein Konzert gibt, dann ist das das gleiche, ein Event.« Und die Gagen, die Sängern von diesem Status bezahlt werden? Sie lächelte und fragte zur Antwort: »Warum wird diese Frage nicht gestellt, wenn es um die Gagen von Madonna geht oder von Fußballspielern?« Wieder hielt sie inne und sagte danach sehr viel ernsthafter: »Aber denken Sie nur, wie privilegiert ich doch bin: Ich werde für das bezahlt, was ich am meisten liebe, das Singen. Das andere – Interviews, Fototermine, Leute treffen –, das ist der Teil, den ich als Arbeit empfinde.« Nach mehr als zehn Jahren noch immer darüber staunend, lächelte sie bei dem Gedanken. »Doch der Rest ist reine Lust, schieres Vergnügen. Und dafür werde ich noch bezahlt.«

Wir wandten uns vom Thema Geld ab und beklagten einen Moment lang das Verschwinden der Kastraten aus der Opernwelt. Sie wies auf etwas hin, das ich nicht gewußt hatte: Daß Händel, als er seine Opern schrieb, Countertenors zur Verfügung standen, er jedoch einen Großteil seiner Musik lieber für die majestätischeren Kastratenstimmen schrieb. »Ah, wie das wohl gewesen sein muß!« seufzte sie. Ich ließ anklingen, daß das Opfer zugunsten der Kunst nicht gar zu groß gewesen sei, doch das wollte sie absolut nicht gelten lassen.

Es war spät geworden, und sie mußte eine neue Rolle einstudieren. Das Stichwort aufgreifend, fragte ich sie, auf welche zukünftigen Rollen sie sich freue. Die Antwort kam sofort: »Alcina, Agrippina und schließlich Poppea.« Schweig stille, mein Herze.

Zum Abschied bemerkte ich, in Anbetracht der Jugendlichkeit und der Begeisterung des Publikums bei Aufführungen von Barockmusik und wenn es entsprechende Aktien gäbe, würde ich mein ganzes Vermögen in die Barockmusik und deren wachsende Popularität investieren. Sie lachte über die Vulgarität meines Vergleichs und warf ein: »Diese Musik ist nicht einfach nur schön. Es gibt darin viel für uns zu lernen. Am Schluß von *Così* singt Don Alfonso:

> Fortunato l'uom che prende
> Ogni cosa pel buon verso
> E tra casi e le vicende
> Da ragion guidar si fa.«

Lächelnd doppelte sie nach: »Alles von seiner besten Seite zu nehmen und sich von der Vernunft leiten zu lassen, immer von der Vernunft – ich glaube, das ist etwas, das wir lernen sollten. Und lernen können.« Ihr, ahne ich, ist das gelungen.

Da capo – Maria Callas

Maria Callas war die interessanteste Sängerin des zwanzigsten Jahrhunderts. Nicht die beste – was immer das heißen mag – und gewiß nicht die beliebteste, aber ohne Frage die interessanteste. Ihre Stimme schlug jedes Publikum in Bann und ließ die Zuhörer atemlos jener vorbildlich ausgeformten Phrase entgegenlauschen, die noch jahrelang in der Erinnerung nachhallen sollte – oder später, als ihre Karriere zu bröckeln begann, vermehrt jenen erschreckend schrillen Ausreißern, die schon ahnen ließen, wie schlimm es einmal enden würde.

Ich hatte sie nie auf der Bühne erlebt, sondern kannte die Callas nur von Platten oder aus der Schilderung von Freunden, die das Glück hatten, sie live zu hören. Sie alle sprechen mit Ehrfurcht von ihrer Leistung in der Oper oder auf dem Konzertpodium und erklären die wenigen Stunden mit der Callas zum höchsten Kunstgenuß, der ihnen im Leben zuteil wurde.

Interessant ist die Callas auch als soziologisches Phänomen, denn sie war, wenn der Ausdruck erlaubt ist, der erste Kultstar der Opernwelt. Vor ihr gab es Caruso und noch ein Jahrhundert früher die Belcanto-Legende Maria Malibran, die starb, als sie gerade achtundzwanzig Jahre alt war. Aber Maria Callas war die erste Diva, die zum Massenartikel avancierte, und nicht zuletzt deshalb riskierte ich mein Leben, um sie singen zu hören.

Ich kam damals frisch von der Universität, arbeitete in New York und verstand von Oper nicht viel mehr, als daß mir die Musik gefiel und auch die fülligen Damen, die von Liebe und Tod sangen; außerdem liebte ich die kitschigen, melodramatischen Stoffe, diese Leidenschaft, diese Raserei, diese wilden Rachegelüste. Ich war halt jung, damals.

Im März 1965 gab die Callas zwei Galaabende in New York, die zu ihrem Abschied von der Met werden sollten. Man spielte *Tosca*, einen vulgären Kommerzschinken, für den ich heute nicht mal mehr über die Straße ginge. Aber damals veranstaltete die Presse einen solchen Hype um Callas, Callas, Callas, daß schließlich auch ich den Star erleben wollte, den ich bislang nur von Platten kannte. Beide Vorstellungen waren seit Monaten restlos ausverkauft; nicht einmal auf dem Schwarzmarkt hätte man noch eine Karte bekommen. Bewirkt hatte diesen hysterischen Ansturm der gleiche Medienrummel, dem auch Elvis oder später die Beatles ihren Starruhm verdankten – auch wenn man sich diesen Vergleich verbeten hätte, weil es hier schließlich um große Oper ging.

Nachdem all meine Bemühungen um ein reguläres Ticket fehlgeschlagen waren, spazierte ich am Tag vor dem Gastspiel ins Verwaltungsgebäude der alten Met am Broadway und kundschaftete den Laden gründlich aus. Am nächsten Tag nach der Arbeit kam ich wieder und versteckte mich in der Damentoilette, bis alle Feierabend hatten. Eine Viertelstunde vor der Vorstellung fuhr ich mit dem Aufzug in den vierten Stock und – beim Gedanken an diesen Leichtsinn schwindelt mir noch heute – kroch in luftiger Höhe über einen Holzbalken, der ein Fenster der Verwaltung mit dem Hintereingang zu den oberen Rängen des Opernhauses verband. Nein, ich habe nicht runtergeschaut.

Drüben angekommen, klopfte ich in der Hoffnung, jemand würde mir von drinnen aufmachen und ich könnte, von einem Stehplatz aus, die Callas, Callas, Callas sehen. Statt dessen erwischten mich zwei Sicherheitsleute und warfen mich hinaus, weshalb ich die Callas nie live erlebt habe.

Der Opernsänger als Megastar: Das ist inzwischen keine Seltenheit mehr. Sie eröffnen Fußballturniere, treten im Wembley-Stadion auf oder im Duett mit Popstars wie Freddie Mercury. Eine Handvoll prominenter Künstler, die ihre Namen schamlos vermarkten lassen. Hören Sie dagegen die Platten der Callas, schauen Sie sich die wenigen Filmmitschnitte von Auftritten dieser phänomenalen Künstlerin an, und Sie werden den Unterschied sehen und hören. Diese anderen, die heutzutage von sich reden machen, sind bloße Entertainer. Sie dagegen war eine wahrhaft große Sängerin. Um sie auf der Bühne zu erleben, und sei es als Tosca, würde ich glatt noch einmal mein Leben riskieren. Aber heute nicht mehr wegen des Starrummels, sondern weil diese begnadete Sängerin die größte Stimme des zwanzigsten Jahrhunderts ist und bleibt. Möge ihre gequälte Seele in Frieden ruhen.

Die nordische Eisprinzessin –
Anne Sofie von Otter

Starallüren sind der Mezzosopranistin Anne Sofie von Otter ebenso fremd wie der Gedanke, sich als Diva zu stilisieren, die sich dank ihrer Begabung über die einfachen Sterblichen erhebt. Statt dessen übt sie sich in einer sehr britischen Form der Zurückhaltung und verfügt über etwas, das man früher einmal Würde nannte. Nicht von ungefähr hat Cecilia Bartoli ihr ein »majestätisches« Talent bescheinigt. Selbst bei einer kurzen Begegnung spürt man ihre von klein auf anerzogene Höflichkeit. Während unseres Gesprächs in Wien im Herbst 2002 erklärte sie ihre mit erfrischendem Stolz geübte Zurückhaltung mit dem Satz: »Also, die Leute haben Angst vor mir« – und nahm dieses Bekenntnis sogleich mit einem ironischen Lächeln zurück. Daß man ihr vielfach mit Scheu begegnet, liegt vermutlich an der herben Ausstrahlung der hochgewachsenen blonden Sängerin mit dem klaren, forschenden Blick, die scheinbar perfekt den klassischen Typus der nordischen Eisprinzessin verkörpert. Ein Klischee, das ihre ganz und gar uneitle Art und der geistreiche Humor, den sie im Gespräch entfaltet, indes rasch dahinschmelzen lassen.

Im übrigen hat sie, wie viele ihrer Kollegen, diese Zurückhaltung erst lernen müssen. Zu Beginn ihrer Karriere habe sie durchaus nicht zwischen Privat- und Berufsleben getrennt, sondern sei den Leuten freundlich und aufgeschlossen begegnet, auch solchen, die, wie sich später herausstellte, nur an ihrem Talent und ihrem Ruhm interessiert waren. Das führte zu Irritationen, die anscheinend immer noch nachwirken. Jedenfalls hat man den Eindruck, daß sie bei allem professionellen Entgegenkommen heute recht viel Zeit auf der anderen Seite des Schutzwalls verbringt, den sie zwischen öffentlicher Figur und Privatperson errichtet hat. Als ihre Karriere in Gang kam, so von Otter, mußte sie ihr Leben zweiteilen – eine, wie sie sagt, kluge Entscheidung, die ihres Erachtens über kurz oder lang jeder Sänger zu treffen hat. Wie viele berühmte Mezzos und Soprane hat auch sie reichlich Erfahrung mit – höflich formuliert – »exaltierten« Fans, deren Überschwang sich angesichts ihrer majestätischen Würde allerdings rasch abgekühlt haben dürfte.

Während unseres Gesprächs kam mir unversehens ein Vers von Andrew Marvell in den Sinn:

»Doch rückwärts immer näher jagen / Hör' ich der Zeit beschwingten Wagen.« Auch wenn der englische Barockdichter schwerlich die Nöte der Sopranistinnen und Mezzos des einundzwanzigsten Jahrhunderts im Sinn hatte, als er diese Zeilen zu Papier brachte, passen sie doch, und zwar nicht nur auf die klassischen Opernsängerinnen, sondern auf die meisten weiblichen Akteure aus dem großen Bereich des sogenannten »Entertainment«. Wir Opernliebhaber oder, um es unverblümt zu sagen: wir Opernjunkies würden uns vermutlich dagegen verwahren, dieses Wunderwerk, das Musiker vollbringen und das uns in Ekstase versetzt, unter den Begriff »Entertainment« zu fassen. Aber es wäre töricht zu glauben, daß die Mächte, die über Theater und Leinwand regieren, sich in Ehrfurcht vor Polyhymnia, der Muse der Musik, verneigen und also an Sängerinnen nicht die gleichen Ansprüche stellen wie an Schauspielerinnen. In einer Welt der austauschbaren Möchtegern-Stars und Starlets, einer Welt, in der Schauspielerinnen nur Rollen bekommen, solange sie sich ihre Jugend bewahren, einer Welt, in der Schönheitsoperationen an der Tagesordnung sind, wird auch den Sängerinnen kaum Dispens gewährt. Ja, die Anforderungen an sie sind sogar noch härter, denn sie müssen nicht nur ihr jugendliches Erscheinungsbild konservieren, sondern auch jenen frischen, jugendlichen Glanz, der maßgeblich zur Schönheit einer weiblichen Gesangsstimme beiträgt.

Ein heikles Thema, das bei unserer Begegnung mehr als einmal zur Sprache kam, denn Frau von Otter probte gerade den Sesto, Cornelias Sohn aus Händels *Giulio Cesare* – eine Partie, die sie, wie sich herausstellen sollte, mit Bravour gemeistert hat. »Ich bin inzwischen in einem Alter, wo es nicht mehr selbstverständlich ist, daß ich singe, zumindest was bestimmte Rollen angeht«, gestand sie mit frappierender Offenheit. »Unter den jungen Sängern wachsen viele gute nach, und ich bin oft schon die Älteste in einem Ensemble, so auch jetzt beim *Giulio Cesare*.« Die Frage, ob dieses Diktat der ewigen Jugend Frauen stärker tangiere als Männer, verneinte sie nach einiger Überlegung: Nein, unter den *Desaparecidos* im Opernbetrieb gebe es ebenso viele Tenöre und Baritone wie Soprane und Mezzos. Allerdings, räumte sie ein, sei das Publikum aufgrund unserer kulturellen Gepflogenheiten eher bereit, einen fünfzigjährigen Rudolfo zu akzeptieren als eine in die Jahre gekommene Mimi. Doch im weiblichen Fach hätten immerhin die Mezzos, die man selten mit der Rolle des »süßen Mädels« betraut, eine ziemlich gute Chance auf eine lange Bühnenkarriere.

Interviews sind von Haus aus ein riskantes Genre, denn die Befragten müssen dem allzu menschlichen Bedürfnis widerstehen, frei von der Leber weg zu reden oder sich vorbehaltlos auf eine Frage einzulassen. Und leider müssen sie sich auch den Hang zum Tratschen abgewöhnen. Außer vielleicht in ihren eigenen vier Wänden und dort womöglich auch nur unter der Dusche reden Sänger kaum je abfällig über Kollegen – und wenn ein Interviewer sich noch so raffiniert bemüht, ihnen eine negative Äußerung zu entlocken. Früher glaubte ich, schuld daran sei die Befürchtung, jede üble Nachrede könne auf den Urheber zurückfallen, wenn und falls das Besetzungskarussell die Klatschbase in einer künftigen Inszenierung mit dem verunglimpften Kollegen zusammenführt. Was indes voraussetzt, daß Sänger Interviews mit anderen Sängern lesen, was ja nicht bewiesen ist. Und auch die Angst, als unkollegial verschrien zu werden, ist nicht unbedingt der Grund für die Zurückhaltung der meisten Sänger. Vielmehr habe ich mit den Jahren den Eindruck gewonnen, daß ihre Diskretion einfach daher rührt, daß sie das gleiche Schicksal teilen. Auch sie stehen vor ein-, zwei- oder dreitausend Leuten auf der Bühne und setzen mit einer einzigen Vorstellung, ja manchmal sogar mit einem einzigen Ton ihr Ansehen und ihren Seelenfrieden aufs Spiel. Weshalb sie, die Sänger, auch die einzigen sind, die wirklich aus eigener Erfahrung wissen, was es heißt, vor den Vorhang, hinaus ins Rampenlicht und das noch grellere Licht der Publikumserwartung zu treten, wo schon der winzigste Fehler Applaus in Buhrufe und Pfiffe verkehren kann. So gesehen sind ihre Nachsicht und Milde keineswegs verwunderlich, und man versteht auch, daß die meisten Sänger ihre Kritik gegebenenfalls auf pauschale Äußerungen über eine »schlechte Vorstellung« beschränken.

Daß auch Anne Sofie von Otter es so hält, zeigte sich, als ich im Zusammenhang mit dem Verfallsdatum, das Sängern gemeinhin vom Publikum aufgedrückt wird, einen gewissen Tenor erwähnte, der wohl erst dann von der Bühne abtreten würde, wenn man ihm einen Holzpfahl durchs Herz rammte. Doch Frau von Otter verteidigte den Gescholtenen mit Nachdruck: »Er ist immer noch sehr gut bei Stimme. Und ein großartiger Sänger.« Diese impulsive Großherzigkeit blitzte auch bei der Erwähnung anderer Sänger mehr als einmal auf; gewissen Dirigenten gegenüber war sie allerdings weniger freundlich. Über einen sagte sie, nicht ohne verhaltenes Bedauern: »Vor fünfzehn Jahren war er mein größter Fan. Das ist heute vorbei.«

Von Otter selbst ist, wie sich rasch herausstellte, Marc Minkowskis größter Fan, und das aus gutem

Grund. Ihre Titelrolle in Händels *Ariodante*, nach einer Reihe konzertanter Aufführungen 1997 mit Minkowski und Les Musiciens du Louvre bei der Deutschen Grammophon Gesellschaft aufgenommen, ist für echte Händel-Junkies eine Droge, von der sie sich gern mal eine Überdosis geben. Aber auch gemäßigtere Hörer stimmen mit den professionellen Kritikern überein, die diese Aufnahme zu einer der bislang besten Einspielungen einer Händel-Oper kürten und von Otters Interpretation des Titelparts als so herausragend rühmten, daß alle künftigen Interpreten daran zu messen seien. Mit Minkowski hat von Otter 2002 auch Händels Oratorium *Hercules* aufgenommen sowie unter dem Titel *Ma vie parisienne* Arien und Ensembles von Offenbach: letztere ein solcher Hörgenuß, daß man sich nichts sehnlicher wünscht, als von Otter auch einmal in einer Offenbach-Inszenierung auf der Bühne zu erleben.

Ein Blick auf ihre Diskographie zeigt, daß Anne Sofie von Otter ihr Repertoire klug begrenzt hat. Inzwischen ist sie in der glücklichen Position, die normalerweise nur Pop- und Rockstars erreichen, daß nämlich ihre Plattenfirma genügend Vertrauen in ihr musikalisches Talent und ihren Geschmack setzt, um auch einmal neue Wege zu beschreiten und gar ein Crossover zu wagen.

Prominentestes Beispiel dafür ist die CD *For the Stars*, die sie gemeinsam mit dem Rockstar Elvis Costello, einem langjährigen Fan, aufgenommen hat. Als ich gewisse Vorbehalte gegen diese Aufnahme äußerte, verteidigte von Otter sie so vehement, daß ich mich ihrer Überzeugung beugen mußte, wonach die CD den Beweis erbringt, daß die beiden Pole der Musik, Pop und Klassik, sehr wohl miteinander verschmelzen können und erstklassiger Gesang in beiden gleichermaßen zu Hause ist. Wofür auch der überwältigende Erfolg dieser CD spricht.

Wie so oft, wenn Opernliebhaber und Freunde klassischer Musik zusammenkommen, mündete auch unser Gespräch irgendwann in eine Diskussion darüber, wie sich die klassische Musik angesichts von nur fünf Prozent Verkaufsanteil auf dem CD-Markt behaupten soll und wie man, einfacher und pragmatischer gefragt, Sängern und Musikern auch weiterhin Arbeitsplätze garantieren kann. Von Otter sprach sich klar dafür aus, daß es auch Aufgabe der Schulen sein müsse, ein künftiges Publikum heranzuziehen, und sie bedauerte, daß man in vielen Ländern den Schülern offenbar inzwischen weder Notenlesen beibringt noch versucht, sie an ein Instrument heranzuführen. Statt, was sie sehr begrüßen würde, den Musikunterricht wiederzubeleben und das Interesse an klassischer Musik schon im Kindesalter zu wecken. Auch sollten Opernhäuser, vielleicht in Verbindung mit den Schulen, mehr Zeit und Energie in die Entwicklung schöpferischer Programme investieren, um Kinder an das Geschehen in Oper und Konzertsaal heranzuführen, damit die Oper als Kunstform nicht eines Tages nur reichen alten Knackern vorbehalten bleibt. Kaum waren wir uns soweit einig, gab von Otter zu bedenken, die Opernhäuser müßten heutzutage so viel für Werbung, Publikumsbetreuung und dergleichen aufwenden, daß für ihre eigentliche Aufgabe, nämlich Inszenierung und Aufführungsbetrieb, immer weniger Zeit und Geld übrigblieben. Schließlich äußerte sie noch den Wunsch, die Unterscheidung des Kulturbetriebes zwischen E und U, also zwischen Klassik und Pop, möge, wenn schon nicht aufgehoben, so doch zumindest so weit entschärft werden, daß diejenigen, denen klassische Musik nicht von Haus aus vertraut ist, sich ihr ohne Schwellenängste nähern könnten. Wie alle, die sich über die Zukunft der klassischen Musik Gedanken machen, ist sich auch von Otter der wirtschaftlichen Faktoren bewußt, die hier mitspielen oder vielmehr nicht mitspielen: die ständigen Streichungen staatlicher Zuschüsse für Kunst und Kultur, eine überalterte Klientel und der insgesamt prekäre Zustand der Weltwirtschaft, der sich nicht nur auf staatliche Subventionen auswirkt, sondern auch auf die Bereitschaft privater Mäzene, einen Teil ihres Reichtums zum Wohle der Musik zu stiften.

Auch die allgegenwärtige und penetrante Unsitte, Musik als Hintergrundgeräusch zu mißbrauchen, kam zur Sprache: Ob im Postamt, in der Warteschleife am Telefon, während oder zwischen den meisten Fernsehszenen – überall wird man mit Konservenmusik berieselt, was nach von Otters Meinung die Hörfähigkeit beeinträchtigt und das Musikempfinden abstumpft. Auf Nachfrage räumte sie ein, daß ihre beiden Söhne sich nur mäßig für Musik interessieren, wohl aber fürs Theater, das Metier ihres Vaters.

Als ich mich nach ihrer bisherigen Lieblingsrolle erkundigte, antwortete sie wie aus der Pistole geschossen: »Carmen.« Auf die Frage, ob ihr Image des kühlen, nordischen Stars ihre Entscheidung für diese Partie beeinflußt habe, in der sie im Sommer 2002 in Glyndebourne brillierte, versicherte sie lachend, es sei einfach herrlich gewesen, sich einmal nicht von Kostüm und Maske für eine Hosenrolle präparieren zu lassen und auch keine »dümmlich kichernde Dorabella« zu spielen, sondern eine Frau in der Blüte ihres Lebens. Offenkundig hatte es ihr nicht nur Bizets Oper angetan, sondern sie begeisterte sich auch für die schillernde Figur der Carmen.

»Die Musik ist einfach toll«, beteuert der Star der Barockoper. »Meine Lieblingspartien beschränken sich durchaus nicht nur auf die für große Opernstimme«, sagt ausgerechnet die Frau, die in einer bravourösen Darbietung von Ariodantes *Dopo notte* mühelos das hohe A schmetterte. »Auf französisch brauche ich mich nicht so sehr anzustrengen, um gut zu singen«, erklärt eine Sängerin, deren makellose italienische Diktion nur eine ihrer vielen Kunstfertigkeiten ist.

Sie räumte ein, daß sie großes Lampenfieber vor der Rolle gehabt und sogar befürchtet habe, die Carmen nervlich nicht durchzustehen. Zur Vorbereitung reiste sie mit ihrer Familie schon vorzeitig nach Glyndebourne an, um sich in der ländlichen Idylle, inmitten von Schafen und Kühen, auf die sechswöchige Probezeit einzustimmen und vorab schon einmal ihre »Trockenübungen« zu absolvieren, wie sie das in Anspielung auf die erste Woche ohne Regisseur nannte. Später wurde drei Wochen lang szenisch geprobt, genügend Zeit für von Otter, ihrer Rolle Kontur zu verleihen, sie abzugrenzen von »der folkloristischen Zigeunerin mit der Rose im Mund aus diesen Touristenspektakeln«.

Sie habe, sagt sie, ein Faible für solche Partien, in denen sie nicht streng nach Lehrbuch zu agieren braucht, nicht gezwungen ist, ständig mit großer Opernstimme zu singen. Die europäische Kritik war denn auch fast einhellig der Ansicht, daß von Otter mit der Carmen die Rolle gefunden habe, die das ganze Spektrum ihres Talents zur Geltung bringt.

Zum Zeitpunkt unseres Interviews im Herbst 2002 hatte sie neben verschiedenen Liederabenden und Konzerten für die kommende Saison auch schon ihre nächste Opernrolle unter Vertrag: den Ruggiero in Händels *Alcina*, eine Inszenierung, die im Juli 2003 unter Christophe Rousset bei den Barockfestspielen in Drottningholm herauskam. Auf die Frage, wie sie sich auf so eine große Partie vorbereite, sagte von Otter, am liebsten seien ihr sechs Monate Probenzeit, da die Einstudierung einer neuen Rolle die Stimme jedesmal sehr belaste. Zu Beginn übe sie deshalb täglich nicht mehr als fünfundvierzig Minuten und nur mit Klavierbegleitung. Die Aneignung einer neuen Rolle, das Sich-Hineinfühlen und -Herantasten, verglich sie mit dem Lösen eines Kreuzworträtsels: »Mit einemmal hat man die Worte im Kopf. Die Tempi sitzen, und plötzlich weiß man, wie es gehen muß.«

Während sie so, Schritt für Schritt, gewissermaßen in die Rolle hineinkriecht, liest sie zunächst das gesamte Libretto und erstellt dann eine schwedische Übersetzung ihrer Szenen und der unmittelbar voraufgehenden Auftritte ihrer Partner, um sich auch dramaturgisch zu vergegenwärtigen, auf welchem Wege ihre Figur zum jeweiligen Punkt der Handlung geführt wird. Wichtig ist ihr ferner, die Botschaft einer Arie nicht nur intellektuell, sondern auch musikalisch zu verstehen.

Zu Beginn einer Neueinstudierung greift von Otter durchaus auch zu CDs oder Videos, um sich mit der jeweiligen Oper vertraut zu machen. »Allerdings«, fügt sie ironisch hinzu, »sollte man sich davor hüten, eigene Auftritte auf Video anzuschauen.« Mit der schrittweisen Aneignung eines neuen Stücks entsteht allmählich auch ein Gespür dafür, ob die Musik stärker ist als der Text. Und dann, sobald die ersten Stellproben beginnen, legt sie großen Wert auf die Arbeit mit dem Regisseur, der ihr sagt, wie ihre Figur auf der Bühne zu agieren hat, während sie sich aufs Singen konzentriert.

Anne Sofie von Otter plädiert für Live-Mitschnitte von Opernaufnahmen, weil sich nur so die Bühnenspannung von Anfang bis Ende einfangen lasse. Eventuelle Patzer während einer Aufführung könnten von der Tontechnik leicht nachbearbeitet werden. Im Studio singt sie eine Arie am liebsten zweimal hintereinander ein, da die Stimme beim ersten Mal oft noch zuwenig geschmeidig sei. Häufig werde dann auch diese zweite Fassung als Grundlage für die Gesamtaufnahme gewählt, vor deren Edition der Toningenieur dann noch »die Orthographie bereinigt«.

Die Formulierung ließ mich aufhorchen, und ich fragte, ob das wirklich so zutreffe, oder ob nicht das fertige Produkt, sei es eine Arie oder eine ganze Oper, in Wahrheit eher einem Patchwork gleiche, bei dem ein paar Schnipsel dieses Takes mit Teilen anderer zusammengeschnitten und vom Toningenieur so gut gemischt würden, daß der Durchschnittshörer gar nichts davon mitbekäme.

»Es ist doch nicht nötig, dem Hörer falsche Töne vorzusetzen«, entgegnete von Otter, zu Recht. »Ich habe ganz klare Ansprüche an eine Plattenaufnahme. Warum sollte man den Hörern eine Einspielung zumuten, auf der ich schlecht singe?« Auch das ein berechtigter Einwand. »Eine Platte von wirklich hoher Qualität können Sie sehr oft hören, ehe Sie ihrer überdrüssig werden.«

Ich hielt es für das beste, diese Frage nicht weiter zu vertiefen, da sie sich ohnehin nicht schlüssig beantworten läßt. In der Literatur ist es ganz selbstverständlich, daß man dem Autor Zeit gibt, einen Text zu überdenken, ihn zu korrigieren, zu ändern

und umzustellen, bevor er gedruckt und dem Lese-
publikum präsentiert wird: Seit der Erfindung der
Buchdruckerkunst hat man es so gehalten. Dagegen gehörte es bis ins letzte Jahrhundert zum Wesen der Oper, daß jede Vorstellung einzigartig war;
wer einen Auftritt von Maria Malibran oder Giu-
ditta Pasta oder Giovanni Battista Rubini verpaßt
hatte, der würde die Sänger nie mehr in gleicher
Weise zu hören bekommen. Zu den besonderen
Merkmalen einer musikalischen Darbietung gehörte also der Umstand, daß sie nie identisch wiederholt werden konnte: Hier spiegelte einmal die Kunst
das Leben wider, insofern, als jede Aufführung ein-
malig war. Die Tonaufzeichnung hat dem ein Ende
gesetzt und beschert uns nun eine unbegrenzte Aus-
wahl makelloser Interpretationen, die sich beliebig
archivieren lassen. Und nicht nur das: Die moder-
ne Technologie kann sogar im nachhinein Veränderungen vornehmen und uns etwa *Metropolis* in
Farbe zeigen oder die Instrumente austauschen, die
Caruso auf einer alten Einspielung begleiteten. Angesichts solcher technischer Manipulationen stellt
sich, unabhängig von dem Vorzug, via Tonträger
einem weitaus größeren Publikum den Genuß einer
musikalischen Darbietung zu ermöglichen, doch
die Frage, inwieweit der Begriff »Live-Aufnahme«
eigentlich noch berechtigt ist.

In einer Zeit, da die staatlichen Zuschüsse für den Kulturbetrieb immer drastischer gekürzt werden und auch die Millionen Alberto Vilars, des größten Mäzens der Musikgeschichte, zusammenschmelzen, bedeuten Plattenaufnahmen nicht zuletzt eine willkommene Einkommenssicherung. Auf meine Frage, warum ein so berühmter und in den Medien präsenter Star wie sie sich zu weiteren Interviews bereit gefunden habe, antwortete von Otter ganz freimütig: Wenn von einer Inszenierung eine CD produziert wird – wie es bei Minkowskis *Giulio Cesare* gottlob der Fall ist –, dann müssen alle Beteiligten sich dafür engagieren und ins Zeug legen, damit diese CD sich auch verkauft. Anders als die meisten Künstler, die vermutlich weit weniger großzügig mit ihrer Zeit umgehen, war sie darum bereit, sich an diesem Tag in der Lobby ihres Wiener Hotels wieder den immer gleichen Fragen zu stellen und für die immer gleichen Fotos zu posieren.

Allerdings unterscheidet sich von Otter dank ihrer wachen Intelligenz, ihres funkelnden Esprits und nicht zuletzt der Aufrichtigkeit ihrer Antworten wohltuend von jenen Promis, die wie ferngesteuert ihre Pflichttermine abspulen. Meine Feststellung, sie zähle nun schon seit langem zu den Weltbesten ihres Fachs, entschärfte sie prompt mit dem Hinweis auf eine Reihe schlechter Kritiken seitens der (wie könnte es auch anders sein) französischen Presse, die einmal sogar behauptet hatte, ihre Stimme sei »kaputt«. Von Otter gestand, daß ein solcher Verriß ihr immer noch an die Nieren geht, genau wie jene taktlosen Zeitgenossen, die sie fragen, ob sie besagten Verriß gelesen habe. Es gebe freilich auch negative Kritiken, die hilfreich sein könnten (ich habe das schon unzählige Sänger sagen hören: Bei von Otter fand ich es zum erstenmal glaubhaft).

Abschließend erkundigte ich mich nach ihren Plänen, und ihre Antwort erfreute mein Händelianer-Herz: Nach der schon erwähnten *Alcina* mit Christophe Rousset würde im November 2003 *Xerxes* mit William Christie im Théâtre des Champs-Elysées folgen. Daneben stehen auch etliche Non-Händels auf dem Programm, Musikstücke, die von willfährigen Sängern vorgetragen werden und, das weiß ich aus zuverlässiger Quelle, auch ihr Publikum finden: *Les nuits d'été* und *Béatrice et Bénédict*, *Des Knaben Wunderhorn*, *Das Lied von der Erde*, *Capriccio* sowie Konzerte und Liederabende weltweit. In Dänemark wird von Otter 2005 eine Meisterklasse unterrichten. Und das Regiefach? Würde es sie reizen, irgendwann selber eine Oper zu inszenieren? *Nein!*

Die Katze, die während unseres ganzen Gesprächs auf dem Sofa in der Hotellobby geschlafen hatte, erhob sich auf einmal und streckte sich zum Abschied so wohlig, wie meine höfliche Interviewpartnerin sich das niemals gestattet hätte. Zwei Stunden waren wie im Flug vergangen, was mich wieder auf das Thema Zeit und Vergänglichkeit brachte und zu der Frage, in welche Richtung ihre stimmliche Entwicklung tendiere. Von Otter antwortete ohne Zögern, daß sie sich gern stärker im dramatischen Fach positionieren würde, etwa bei den verruchten Frauenfiguren von Janáček und Richard Strauss. Die gewichtigen Verdi-Heroinen hätten es ihr nie angetan, weshalb sie auf diese Rollen leichten Herzens verzichten könne.

Auf ihrem Gesicht spielte ein kokettes Lächeln, als sie nach kurzer Pause hinzufügte: »*Le nozze di Figaro*, ah, die sind nun Vergangenheit.«

Deformazione professionale

Lange Zeit glaubte ich, während einer laufenden Opernaufführung dürfe man im Publikum verzeihlicherweise nur aus einem einzigen Grund den Mund aufmachen – um kundzutun: »Ich habe einen Herzanfall.« Alter und Erfahrung sowie viele Stunden in der Oper haben mich gelehrt, daß der ganze Satz die anderen Besucher bloß unnötig ablenken würde, weshalb das letzte, entscheidende Wort vollauf genügt. Doch es gehört schon zu den grausameren Launen des Schicksals, einen Menschen mit dieser Einstellung ausgerechnet nach Italien zu verpflanzen: Das ist ungefähr so, als ob ein Zeuge Jehovas in Saudi-Arabien landen würde.

Der Zwischenfall, von dem ich erzählen will, ereignete sich im Winter 2001, bei der Generalprobe von Cimarosas *Olympiade* im Teatro Malibran, das nach fünfzehnjähriger Restaurierung gerade seine glanzvolle Wiedereröffnung feierte. Ein paar Minuten nach Beginn des zweiten Akts kam ein älterer Herr mit einer sehr viel jüngeren Frau am Arm in den Zuschauerraum geschlendert. Die beiden hatten Orchestersitze, und zwar ziemlich genau unter meinem Platz in einer der Seitenlogen. Etwa in der Mitte des Vorspiels drang plötzlich eine Männerstimme an mein Ohr, die ich jedoch zunächst, fasziniert vom Zauber der Musik, ignorierte.

Die Solisten traten auf und begannen zu singen, aber die – im übrigen ganz und gar unmusikalische – Männerstimme redete ungeniert weiter. Als ich mich über die Brüstung beugte, sah ich unter mir den weißhaarigen Kopf des älteren Herrn, der sich seiner jungen Begleiterin zuneigte. Ihre üppige Haarpracht verdeckte sein Gesicht, aber die gestikulierenden Hände verrieten eindeutig, daß er es war, der dort unten dazwischenredete. Und redete. Und redete. Und redete.

Tenor, Sopran, Mezzosopran, Duett: Wie eine Baßwalküre übertönte er sie alle. Nicht einmal die Arie für Sopran *con oboe obbligato* konnte ihm Einhalt gebieten. Fühlt man sich so, wenn einen der stadtbekannte Säufer oder die Nervensäge des Clubs bedrängt? Hatte seine arme Frau ihm das Eintrittsgeld in die Hand gedrückt und ihn angefleht, in die Oper zu gehen? Vielleicht auch noch die Karte der Dame mitbezahlt? Keine Kosten gescheut, nur um für ein paar Stunden Ruhe zu finden vor diesem elenden Schwätzer?

Als der Tenor zu seiner Arie ansetzte, hob der Mann in unverkennbar belehrender Manier den Zeigefinger und wies auf die Bühne, den Dirigenten, einen Sänger, ja sogar auf das Portrait der armen verstorbenen Maria Malibran über dem Bühnenportal, doch die Diva blieb stumm. Je komplexer die Musik wurde und je mehr sie die absolute Konzentration der Sänger forderte, desto lauter dröhnte die Stimme des Mannes unter mir. Ich dachte an Hunde, die pinkelnd ihr Revier markieren. Ich dachte auch daran, ihm etwas an den Kopf zu werfen. Gleich der mutmaßlichen Gattin war auch ich zu allem, wirklich allem bereit, nur um diesem monotonen Geschwafel ein Ende zu setzen.

Als das Sextett begann, mit dem die Oper schließt, hielt er inne, und ich glaubte schon, er sei endlich verstummt. Allein, auch diese Hoffnung schwand, denn gleich darauf verwandelte er das Finale in ein Septett. Vorhang. Der Dauerredner unter mir klatschte ein paarmal matt in die Hände, erhob sich und lächelte so huldvoll nach allen Seiten, als ob der frenetische Applaus, den Sänger und Orchester sich redlich verdient hatten, in Wahrheit ihm gelte.

Erst hinterher, beim Verlassen des Theaters, erfuhr ich, daß er der ehemalige künstlerische Leiter des Hauses war.

Auf dem anschließenden Empfang fand ich Anregungen in Hülle und Fülle: die spitzen, gekünstelten Entzückensschreie, mit denen die Gäste einander begrüßten; die ausgesucht höfliche Konversation zwischen Leuten, von denen ich wußte, daß sie sich nicht leiden konnten; der seltsam ähnliche Gesichtsausdruck der Frauen, so als hätten sie alle beim selben Chirurgen unterm Skalpell gelegen – lauter prächtiges Material für einen Schriftsteller. Da keiner der Anwesenden Mordgelüste in mir weckte, verlegte sich meine kriminalistische Phantasie auf Diebstahl. Wie könnte man am besten in den Palazzo einbrechen, um diese herrlichen Ming-Teller an der Wand hinter der Bar zu stehlen? Als ich dem Gastgeber vorgestellt wurde, überlegte ich, ob er wohl stark genug wäre, um zwei unbewaffnete, dafür aber maskierte Räuber in die Flucht zu schlagen. Welches Fenster eignete sich am besten zur Flucht? Ein paar Frauen hatten ihre Handtaschen auf einem Tisch bei der Tür abgestellt, und ich überlegte, wie man eine davon an sich bringen und unbemerkt damit hinausspazieren könnte. Um womöglich die Geldbörse eines anderen Gastes darin zu finden oder belastende Briefe eines heimlichen Liebhabers? Aber das würde einem selbst der gutgläubigste Leser nicht abkaufen, also verwarf ich die Briefe. Vielleicht hat die Besitzerin der Handtasche nur die Privatnummer des Geliebten in ihrem *telefonino* gespeichert? Überdies wird beobachtet, daß der Händedruck der beiden ein paar Sekunden zu lange dauert, während sie doch so tun, als begegneten sie einander zum erstenmal. Bloß, wie käme dann seine Nummer in ihren Telefonspeicher?

Ich könnte mir vorstellen, daß Feuerwehrleute in ihrer Freizeit austüfteln, wo bei welchem Gebäude die günstigsten Fluchtwege liegen, oder ihre Mitmenschen danach taxieren, wie schwierig es wäre, sie eine Leiter hinunterzutragen. Ob ein Chirurg uns bei der ersten Begegnung in Gedanken zerlegt? *Deformazione professionale.*

Über Mensch und Tier

Mäuse

Wenn ich im Sommer wieder herauf in die Berge komme, muß ich zunächst einmal meinen Rhythmus um- und auf das hiesige Tempo einstellen. Zwar lebt man auch in Venedig eher gemächlich, aber hier oben geht eben alles noch ein bißchen langsamer. Auch der Blickwinkel verschiebt sich, Dinge, die in der Stadt gar keine Rolle spielen, werden hier womöglich zum Problem. Mäuse beispielsweise.

Als ich mir vor ein paar Tagen von meiner Nachbarin einen Spaten borgen wollte, traf ich sie auf der Bank vor ihrem Haus. Im Schoß hielt sie einen Apparat, der mir vorkam wie ein Überbleibsel aus der spanischen Inquisition. Ein Holzklotz von der Größe eines Schuhkartons mit kleinen Löchern an der Vorderseite, durch die sich jeweils zwei unten verknüpfte Fäden spannten. Die wiederum waren mit einem Mechanismus verbunden, den eine obendrauf genagelte Spiralfeder steuerte. Auf meine Frage, was denn das sei, antwortete die Nachbarin:

eine Mausefalle. Ihr Mann habe sie vor gut vierzig Jahren selbst gebaut, doch anscheinend funktioniere sie nicht mehr, denn in dem Vorratsraum, wo sie ihr Maismehl aufbewahrte, nähmen die Mäuse überhand.

Bei mir drüben hätte ich zwei amerikanische Modelle, erwiderte ich und ging sie gleich holen. Als ich zurückkam, erklärte ich ihr genau, wie eine solche Schlagfalle funktioniert: Sobald die bedauernswerte Maus an dem als Köder ausgelegten Käsewürfel knabbert, saust – zack! – der Bügel herab und bricht ihr das Genick.

Ja, ja, ich weiß: Tierschutz, WWF, Greenpeace, Bambi. Aber wenn es um das Mehl geht, mit dem wir jeden Mittag unsere Polenta zubereiten, dann pfeift man auf die hehre Gesinnung.

Noch am selben Nachmittag klopfte es an meinem Fenster, und als ich aufblickte, stand die Nachbarin draußen und lächelte triumphierend. Ohne etwas zu sagen, hielt sie zunächst nur zwei Finger in die Höhe. Dann, nach einer langen Pause, verkündete sie stolz: »*Due.*« Natürlich war es Ehrensache, daß ich mich mit eigenen Augen vom Erfolg meiner heimtückischen Hilfsaktion überzeugte. Wahrhaftig, zwei auf einen Streich.

Weidgerechtigkeit

Also gut, ich sage es geradeheraus, damit die Sache ihr Bewenden hat: Ich hasse Jäger. Ich hasse sie samt ihren Jacken mit den unzähligen Taschen, ihren robusten Stiefeln, ihren Mützen mit den Ohrenklappen und ihren handgefertigten Gewehrfutteralen. Ich hasse ihre Arroganz, ihre Verbohrtheit und die klischeebefrachteten Spitzfindigkeiten, mit denen sie ihre Blutgier zu bemänteln versuchen, die sie allerlei gefiederte oder fellbekleidete kleine Tiere abknallen läßt. Ich hasse ihr verbürgtes Recht, auf meinem Land zu jagen, solange sie meinem Haus nicht näher als hundert Meter kommen, und ich hasse die grundlegende Verlogenheit der Rechtfertigungen ihres Tuns.

Wir haben sie alle schon bis zum Erbrechen hören müssen: Jagd ist eine Form des Hegens; schwache Tiere müssen ausgemerzt werden, um die Anlagen des Bestands zu verbessern; täten wir dies nicht, müßten alle Tiere verhungern. Das erinnert an die köstliche Erklärung der US-amerikanischen

Militärs während des Vietnamkriegs: »Es erwies sich als notwendig, das Dorf zu seiner Rettung zu zerstören.« Na, ist das nicht eine ganz ähnliche Denkweise? »Wir müssen sie zu ihrer Rettung töten.«

Seit ich mir ein Haus in der Provinz Belluno gekauft habe, kommt es jährlich zu Konfrontationen mit den Jägern. Während der ersten beiden Jahre habe ich als Neuankömmling mich aus der Schußlinie gehalten (was die Rehe nicht können) und nichts gesagt, wenn die Kerle angefahren kamen, jenseits meines Grundstücks parkten und ihren Autos entstiegen mit Gewehren, die so groß wie Panzerfäuste waren, Tragetaschen, in denen Eisbären Platz gehabt hätten, Hunden, die sie zwecks Anfeuerung das Jahr hindurch hungern ließen, und im Wald verschwanden, um einen Tag lang ihrem Freiluftvergnügen nachzugehen. Im September und Oktober wurde ich jeweils noch vor der Morgendämmerung von Büchsengeknalle aus dem Schlaf gerissen, wenn sie im Verstoß gegen eines der wenigen bestehenden Gesetze auf allen Seiten losballerten, obschon es noch dunkel war. Ich habe am Hügelhang hinter meinem Haus leere Patronenhülsen gefunden, und zwar sehr viel näher als hundert Meter.

Nur die Zeitungslektüre am Tag nach der Eröffnung der Jagdsaison verschaffte mir einen gewissen Trost, denn jedes Jahr kommen vier bis fünf von ihnen bereits am ersten Tag zu Tode. Es scheint, als stürben mehr vor Überanstrengung an Herzattacken als an Schußverletzungen. Unter größten Willensanstrengungen verbiete ich mir die Vorstellung ihrer wohlverschnürt zur Schau gestellten Leichen auf den Dächern ihrer eigenen Range Rover, denn das wäre unfreundlich, ja unsportlich.

Vor zwei Jahren hatte ich die Nase voll von ihrem blutigen Vergnügen und begann zu protestieren. Während der Jagdsaison mähte ich nun jeden Morgen den Rasen, stundenlang, rauf und runter, rauf und runter, hin und her, bis das Gras so kurz war wie die Haare auf dem Schädel eines amerikanischen Marinesoldaten, und ich bin sicher, der Lärm des Motors war laut genug, um alles, was vier Beine oder Flügel hatte, in die Nachbarprovinz zu scheuchen. Das tat ich so lange, bis eines Morgens ein Jäger von der anderen Seite des Hügels auf einen über mir fliegenden Vogel schoß – dies jedenfalls habe ich mir eingeredet. Schrotkügelchen regneten herab auf meine Schulter, doch bis ich den Hügel erklommen hatte, war kein Weidmann mehr in Sicht. Meine Protestmähaktionen habe ich danach abgebrochen.

Dieses Jahr ist einer zwei Tage vor Beginn der Jagdsaison an meinem Grundstück vorbeigegangen und hat mich gefragt, ob ich im Lauf des Jahrs Rehe gesehen hätte. »Kein einziges«, log ich lächelnd. Als er dennoch auf meinem Land jagen zu wollen verkündete, warnte ich ihn davor, sich in der Nähe meines Hauses blicken zu lassen, was ihn dermaßen in Rage brachte, daß ich mich fragte, wie man einem solchen Menschen ein Gewehr anvertrauen konnte.

Als ich am ersten Tag der Jagdsaison aus dem Haus kam, hörte ich einen veritablen Chor von Vogelstimmen, die alle vom erwähnten Hügel oben kamen. Ich stieg hinauf und rief derweil den Namen meines Nachbarn, damit er auch merkte, daß kein Vier-, sondern ein Zweibeiner nahte. Oben angekommen hielt ich an, schaute auf sein Land und sah seinen sorgfältig mit Ästen und Blättern getarnten Jagdschirm. Davor war eine Reihe von Vögeln mit den Füßen am Boden festgebunden; sie alle piepsten – ob freudig oder ängstlich, entzieht sich meiner Kenntnis – und lockten dadurch Artgenossen an. Sobald diese landeten, würde mein Nachbar sie in Fetzen schießen. Sport? Quatsch mit Soße!

Gladys und der Rasenmäher

Wie peinlich, ein Huhn als Schoßtier zu haben! Andere Leute haben schicke Schoßtiere: Irish Wolf Hounds, Siamesen, ja sogar Geparde. Doch ich habe nichts Besseres zu bieten als ein Huhn, und das gehört nicht einmal mir, sondern meiner achtzigjährigen Nachbarin in einem Bergdorf in der Nähe von Belluno. Möglich wäre, daß das Huhn sich einfach in meinen Rasenmäher verliebt hat und mich nur in Kauf nimmt, um Zugang zu ihm zu haben. Die Sache ist höchst unklar und alles andere als schick.

Angefangen hat es vor zwei Jahren, als eines der sechs Hühner meiner Nachbarin – ein beigeweißes, also ganz gewöhnlich aussehendes Huhn – immer dann über die Straße getrippelt kam, wenn ich das Gras mähte, und in der eben gemähten Bahn nach Käfern und Grillen pickte, die durch das Mähen gestört oder ihrer Deckung beraubt worden waren. Bald brauchte ich nur den Motor anzulassen, schon kam es die Einfahrt herauf und über die

Straße gerast und hüpfte neben dem Rasenmäher her, ohne die geringste Angst, was dessen Klinge bei einem unbedachten Schritt mit ihm anrichten könnte.

An manchen Tagen tauchte es auch dann vor dem Haus auf, wenn es kein Gras zu mähen gab, und da Hühner allem Anschein nach immer hungrig sind, warf ich ihm jeweils ein Stückchen Brot, Käse oder was sonst gerade im Haus war, zu. So gewöhnte es sich an aufzutauchen, sobald mein Wagen in die Einfahrt einbog. Es hat schon seinen Reiz, ein Schoßtier zu haben, das Ihnen entgegenrennt, wenn Sie in Ihrem Sommerhaus eintreffen. Handelte es sich dabei um einen englischen Setter oder auch nur um eine schlappohrige Straßenmischung, dann hätte der Vorgang eine gewisse Eleganz; doch einem Huhn, das schief und mit wackelndem Kopf angaloppiert kommt, geht jegliche Eleganz ab, egal, wie sehr es sich über Ihre Ankunft freut.

Es brauchte einen Namen, und schon drängte sich einer auf: Gladys. Er paßte irgendwie zu einem kleinen beigefarbenen Huhn mit einer Vorliebe für Carr's Table Water Biscuits und Mozzarella. Binnen Tagen fraß mir Gladys aus der Hand und kam, wenn ich über die Straße ging und ihren Namen rief. Binnen kürzester Zeit war ich diejenige, die auf ihre Aufforderungen reagierte: Sowie

Gladys vor der Tür erschien, beeilte ich mich, ihr zu willfahren und ein Stück Brot oder eine Traube zuzuwerfen. Jemand machte gar ein Foto von ihr und ließ ein weißes T-Shirt damit bedrucken, das ich manchmal beim Grasschneiden trage. Venedig ist einfach noch nicht reif für dieses T-Shirt.

Als ich vor drei Tagen spätnachmittags eintraf, kam meine Nachbarin, noch bevor ich aus dem Auto gestiegen war, über die Straße, um mit mir zu sprechen. »È morta«, sagte sie, sichtlich erschüttert, und ich wußte, von wem sie sprach. Einer der Männer aus dem Dorf sei vor zwei Tagen mit seinen deutschen Schäferhunden vorbeispaziert, und diese hätten getan, was Hunde tun, wenn sie Hühner sehen: Sie hätten eines angegriffen und geschüttelt und dabei so schlimm zugerichtet, daß meine Nachbarin es habe töten müssen.

Ich stellte fest, daß mir dies zu schaffen machte. Wenn Sie ein Schoßtier gehabt haben, das sich Ihnen gegenüber anhänglich gezeigt hat, dann schmerzt sein Tod eben, auch wenn es nur ein Huhn war und nicht wirklich Ihnen gehört hat. Ich fragte meine Nachbarin, ob sie sicher sei – immerhin sahen vier ihrer Hühner völlig gleich aus –, doch sie versicherte mir: »Era la Gladi.« Da seit dem schrecklichen Ereignis bereits zwei Tage verstrichen waren, fragte ich nicht, ob ich ihre Überreste haben dürfte, um sie unter den Sonnenblumen zu bestatten, die sie so sehr geliebt hatte. Von den anderen Hühnern war keines in Sicht, aber ich zweifelte ohnehin daran, daß eines genug Charme und Eleganz hätte, um mein Mädchen zu ersetzen.

Gestern habe ich meinen Rasenmäher herausgeholt, Benzin nachgefüllt und den Motor angelassen. Ertränke deine Trauer in Arbeit, sagte ich mir. Nach wenigen Minuten spazierte ein kleines beigefarbenes Huhn unbekümmert neben dem Rasenmäher her und pickte fröhlich nach Grillen und Käfern. Wie der heilige Thomas konnte auch ich nicht sicher sein, ohne einen Beweis zu haben, und so ging ich in die Küche und holte ein Stück Brot. Und siehe, sie hüpfte vom oberen Garten herab und kam stracks auf mich zu, um mir aus der Hand zu pikken. Gladys lebt, Gladys lebt. Es ist nach wie vor nicht schick, ein Huhn als Schoßtier zu haben, vor allem nicht, wenn es einem nicht einmal gehört, doch ihre Rückkehr ins Leben hat mich unglaublich aufgemuntert.

Erst später hatte ich den Mut, zu fragen, was aus dem anderen geworden sei – wir sind hier auf dem Land, rundherum leben Leute, die seit Jahrhunderten kaum etwas zu beißen haben –: *Brodo*.

Das samtige Wunder

Vor ein paar Tagen ging ich aufs Feld hinter meinem Haus in den Bergen, um Gras zusammenzurechen, das ich am Vortag gemäht hatte. Als ich, den Rechen in der Hand, des Wegs ging, nahm ich im Gras direkt vor mir eine Bewegung wahr. Traumatisiert durch all das, was Nachbarinnen und Nachbarn seit sieben Jahren von Vipern erzählten, erstarrte ich, die Augen fest auf die bewußte Stelle gerichtet. Sie bewegte sich leicht, das gemähte Gras wölbte sich in eine Richtung, dann in die Gegenrichtung, das Bewegungsmuster war erratisch, anders, als ich von einer Viper erwartet hätte.

Vorsichtig einen gestiefelten Fuß vor den anderen setzend, kam ich näher und noch näher, bis die Halme einen Augenblick lang auseinandergeschoben wurden und ich das weiche graue Fell von etwas sah, das ein Maulwurf sein mußte. Die ersten paar Minuten erblickte ich nur seinen Rücken und den wedelartigen winzigen Schwanz, während sein

Kopf unter dem gemähten Gras und den herunter-
gefallenen Blättern rasch nach Eßbarem stöberte.

Plötzlich, weiter hinten und weiter weg, sah ich
das Gras sich auf ähnliche Weise bewegen, dann
noch einen Hubbel und noch einen, und ich erstarrte vor Staunen: Kaum einen Meter von mir entfernt
waren vier niedliche kleine Maulwürfe eifrig an
der Arbeit. Langsam legte ich den Rechen ab und
rückte noch näher, während ich mir alles in Erinnerung zu rufen versuchte, was ich je über Maulwürfe gelesen oder gehört hatte. Ich hatte irgendwo gelesen, sie seien praktisch blind und könnten
nur an den Vibrationen schwerer Schritte erkennen,
daß ein Mensch sich nahe. Und allenthalben hatte
ich von denselben Menschen, die mich vor den Vipern gewarnt hatten, gehört, Maulwürfe müsse man
auf der Stelle töten – mit einem Spaten zerhacken
oder mit sonst etwas totschlagen –, denn sie seien
übelste Schädlinge.

Ich bückte mich tiefer, und noch immer nahmen sie mich nicht wahr. Sie waren ungefähr maus-
groß, ihr Fell ein samtiges Grau, und ihre Füßchen
sahen aus, als hätten sie sie von winzigen Enten
ausgeliehen, denn eine Art Schwimmhäute erleich-
terte ihnen das Graben. Sie schienen keine Augen
zu haben, ganz kleine Schlitze als Ohren, und ihre
langen Schnauzen liefen spitz zu. Emsig tunnelten

sie durch das gemähte Gras und taten, was Maulwürfe sonntagmorgens um halb neun so tun.

Langsam zog ich mich zurück, um im Haus die Kamera zu holen, denn seit Jahren sehnte ich mich danach, einen Maulwurf oder einen Dachs zu sehen, und ich dachte, es wäre schön, wenigstens von einem der beiden ein Foto zu haben. Kaum aufzutreten wagend kehrte ich zurück, und noch immer waren sie am Maulwurfen. Klick, klick, und dann zurück ins Haus, um meine 82jährige Nachbarin zur Messe zu fahren, denn das ist, was ich sonntagmorgens um halb neun so tue.

Ich kam erst gegen zehn wieder nach Hause, und als erstes ging ich natürlich bei den Maulwürfen nachsehen. Drei waren verschwunden, doch einer war ausgesperrt, da er den Eingang zu ihrem Tunnel nicht mehr fand. Er rannte gegen Flieder, stolperte über Stiefmütterchen, hatte sich hoffnungslos verlaufen und wurde vom heller werdenden Licht der Sonne zunehmend geblendet. Das schien mir der richtige Moment zu sein, ich ging den Spaten holen und machte mir nicht mehr die Mühe, sanft aufzutreten. Es war gefangen auf der Oberfläche, das Scheusal, das seit sechs Jahren meine Tulpenzwiebeln fraß.

Ich schnappte den Spaten, kam zurück und fand das Vieh, das zwischen den hochragenden Stielen der Maiglöckchen festsaß. Ich erhob den Spaten, ließ ihn niedersausen und bugsierte den Maulwurf auf die Schaufelfläche. Ich brachte ihn zum Tunneleingang, doch es muß ein nicht sehr intelligenter Maulwurf gewesen sein, denn er bewegte sich in der Gegenrichtung wieder auf den Flieder zu. Erneut schob ich das samtige Wunder auf die Schaufel und kippte es diesmal kopfüber in den Tunnel. Als letztes sah ich seine rosa Schwimmfüßchen in der Erde verschwinden.

Cesare liebt Kaninchen

Einer meiner Nachbarn hier oben in den Bergen ist Signor Cesare, genannt »il Francese«, da er 35 Jahre in elsässischen Kohlengruben gearbeitet hat, bevor er vor zwanzig Jahren auf den Hof seiner Familie zurückgekehrt ist. Er ist ein kleiner Mann und drahtig, wie es viele kleine Männer sind. Auf mich wirkt er braun: braunes Gesicht, braune Hände, braune Kleider, und Sommer wie Winter zieht er sich denselben braunen Wollhut über die Ohren. Es heißt, er sei 70, es heißt aber auch, er sei 75. Er wohnt auf dem nächsten Bauernhof und verbringt, zumindest im Sommer, die meiste Zeit mit Arbeiten auf seinen Feldern und der Pflege seiner Kaninchen.

Hier oben essen die Leute Kaninchen. Die meisten halten zehn bis zwanzig (aus zehn Kaninchen scheinen über Nacht zwanzig zu werden) und essen mindestens einmal wöchentlich Kaninchenfleisch. Cesare dagegen ißt sie nicht, denn Tiere zu töten findet er nicht richtig. Er hält sie statt dessen in Holzkäfigen im ersten Stock seines Hauses, und wenn sie eines natürlichen Todes gestorben sind, begräbt er sie auf einem besonderen Stück Land. Da Kaninchen eine Menge Gras fressen, verbringt Cesare den ganzen Sommer damit, seine Felder zu pflegen, zweimal das Gras zu mähen, das Heu zu ernten und zu lagern als Futter für seine Kaninchen. Als Dünger für die Felder, damit sie um so mehr Ertrag bringen für die Kaninchen, sammelt er den Kaninchenkot unter den Käfigen und verteilt ihn auf den Feldern.

Cesare lebt allein, und niemand aus dem Dorf soll je sein Haus betreten haben. Im Winter sorgen ein Kamin und ein Holzofen für Wärme. Im Sommer kommt sein Bruder aus Frankreich jeweils für einen Monat; er schläft im Zimmer über dem Kaninchenstall in einem mitgebrachten Schlafsack. Vor ungefähr 15 Jahren kam auch einmal die Frau des Bruders, doch wiederzukommen hat sie sich geweigert.

»Du bist Staub und kehrst wieder zum Staub zurück«, lautet Cesares Credo. »Die Erde ist immer sauber; sie wäscht und reinigt sich selbst in einem fort.« Dieses Credos wegen wäscht Cesare weder sich noch seine Kleider.

Nachdem ich eingezogen war, hielt Cesare auf dem Weg zu seinen Feldern oft an für einen Schwatz.

Er hat ein erstaunlich breites Wissen und kann viele Themen intelligent erörtern: Geschichte, Landwirtschaft, Anthropologie. Französische Freunde von mir sagten, er spreche ein überraschend elegantes Französisch. Gerüchteweise hörte ich, er habe sich anerkennend über mich geäußert – bestimmt weil ich viel Zeit im Freien gearbeitet und ihm interessiert und respektvoll zugehört hatte. Nach drei Jahren fragte er mich, ob ich ihm von meiner nächsten Reise in die USA zwanzig Kilo Kartoffelsämlinge mitbringen könnte, da er für seine Kaninchen amerikanische Kartoffeln anpflanzen wollte.

Ich sagte ihm, es sei gesetzlich verboten, Pflanzen von einem Land in ein anderes zu importieren, doch davon wollte Cesare nichts hören. Ich sagte ihm, Passagiere auf internationalen Flügen dürften nicht mehr als zwanzig Kilo Gepäck haben, doch auch dies stieß auf taube Ohren. Ich ließ die Sache schließlich sein und konnte ihm also keine Sämlinge bringen.

Seither spricht Signor Cesare nicht mehr mit mir und hat anderen Dorfbewohnern erklärt, ich sei habgierig und geizig. Wenn ich ihn bei der Arbeit auf seinen Feldern sehe, winke ich und sage »*Buon giorno*«, doch Signor Cesare winkt nicht zurück und antwortet mir nicht.

Dachse

Vermutlich weil ich als Kind *Der Wind in den Weiden* gelesen habe, bin ich so ein ausgemachter Dachsfan. Gelesen habe ich seitdem noch sehr viel mehr über sie: über die amerikanischen, die mit Murmeltieren im selben Bau hausen, über die europäischen, die fälschlicherweise als Überträger von Rindertuberkulose verschrien sind; sogar vor dem Fernseher habe ich wie gebannt ausgeharrt, wenn eine entsprechende Tiersendung lief. Am schönsten fand ich einen BBC-Film über dreizehn selig schlummernde Dachse im Wohnzimmer eines Mannes, der sie mit guter Führung ins Haus gelockt hatte und nun Abend für Abend mit Plätzchen und Bonbons vollstopfte.

Sie können sich denken, wie entzückt ich war, als ich von einem Nachbarn hier in den Bergen erfuhr, daß sich ausgerechnet an der Grenze zu meinem Grundstück ein Dachsbau befindet, ein weitläufiges Labyrinth mit drei Zugängen, das nach landläufiger Meinung schon ein paar hundert Jahre alt sein soll. Und wahrhaftig: Es war alles da, die diversen Eingänge mit einem Hügelchen eingescharrter Losung davor, die Fellspuren am Kratzbaum sowie eine Dachsfährte oberhalb der Fliederbüsche auf meinem Grundstück, ein deutlich erkennbarer Pfad, den unzählige süße kleine Tatzen wie einen Halbtunnel ins hohe Gras getreten hatten, dort wo die Dachse allabendlich bei Einbruch der Dämmerung auf Futtersuche gehen und sich an Wurzeln und Käfern gütlich tun.

Leider haben sie auch eine Vorliebe für Mais, und das bringt mich zu dem Krieg, der hier oben ausgebrochen ist. Neulich entdeckte ich bei einem Spaziergang zum Bau vor einem der Ausgänge eine Drahtschlinge, exakt in Höhe eines Dachshalses. Nun habe ich schon lange den Eindruck, daß die Italiener keine Naturliebhaber sind; zumindest konnte ich in dreißig Jahren kaum Anzeichen dafür entdecken, daß sie in der Natur viel mehr sehen als einen Gegner, den es zu unterwerfen gilt, um entweder Profit daraus schlagen, sich mit ihm schmücken oder ihn in den Kochtopf stecken zu können. Emily Dickinson spricht vom »Überschwang herzlicher Sympathie«, den die Geschöpfe der Natur in uns wecken. Aber sie stammte ja auch nicht aus Italien, wo man Dachsen Fallen stellt, obwohl sie geschützt sind und obwohl jedem, der einen tötet oder zu fangen versucht, strenge Strafen und Bußgelder drohen.

Ich drehte die Schlinge seitwärts und bog sie so fest zusammen, daß kein Dachshals mehr hindurchgepaßt hätte. Als ich am nächsten Tag nachschauen ging und sie wieder intakt fand, machte ich sie aufs neue unschädlich. Das geht nun seit einer Woche so: Jeden Nachmittag vollführe ich meinen Sabotageakt, und immer, wenn ich mich dazu einfinde, ist die Falle wieder an ihrem Platz. Obwohl ich die Baumgruppe über dem Dachsbau von meinem Haus aus gut überblicken kann, habe ich noch nie jemanden dort herumschleichen sehen, und ich hoffe umgekehrt, daß auch der Fallensteller nicht mitbekommt, wie ich unter die Äste schlüpfe, um seine Schlinge zu verrücken.

Gewiß, ich könnte natürlich kurzen Prozeß machen und sie einfach verschwinden lassen. Oder die Guardia Forestale einschalten. Aber dies hier ist ein kleines *paese* – ein Dorf mit knapp über hundert Anrainern –, da möchte ich als Fremde nicht diejenige sein, die einem Einheimischen eine empfindliche Geldbuße anhängt oder gar einen Strafbefehl (auch wenn ich in rachsüchtigen Momenten gern *seinen* Hals in der Schlinge sähe). Ich beseitige die Falle nicht, weil damit bewiesen wäre, daß Menschenhand im Spiel ist und nicht etwa ein kluger Dachs abends die Schlinge mit der Schnauze beiseite stupst, bevor er loszieht und reihenweise Maisstauden knickt, um schließlich von zwei, drei Ähren ein paar Körner wegzuknabbern.

Hier im Dorf heißen die diversen Gifte, die auf die Felder ausgebracht werden, allesamt »medicina«. Mein Nachbar hat kürzlich einen hundertjährigen Kirschbaum gefällt und zu Brennholz gemacht, und jede Jagdsaison verursacht unter allem, was kreucht und fleucht, ein Massensterben. Also werde ich, getreu dem englischen Sprichwort »Spar dir die Puste für den heißen Porridge«, meinen Mund halten und den Leuten nichts von Ökologie erzählen oder vom Respekt vor der Welt, in der wir leben. Lieber setze ich meinen kalten Krieg fort und drehe jeden Nachmittag die Schlinge zur Seite. Doch was soll werden, wenn ich im Oktober das Haus zusperre und nach Venedig zurückkehre?

Gastone, der Arbeitskater

Irgendwo im protestantischen Teil eines deutsch-sprachigen Landes lebt eine Frau, die – so fürchte ich – aus Venedig geflohen ist vor Entsetzen über von ihr beobachtete unheimliche, finstere Formen religiöser Verehrung, die von italienischen Katholiken praktiziert werden. Sollte sie in einem Ort wie Dübendorf wohnen, möchte ich sie hiermit beruhigen und ihr erklären, wie alles gekommen ist.

Vor einigen Monaten brachte das französische Ehepaar, das unter mir wohnt, einen Kater nach Hause, der die Aufgabe hatte, die Ratten zu beseitigen, die aus dem Kanal hinter unserem Haus hereinschlüpfen und unerwünscht viel Zeit damit verbringen, in den verschiedenen Abstellkammern um unseren gemeinsamen Innenhof herum zu nisten. Es sollte ein Arbeitskater sein; er sollte nicht ins Haus dürfen; er sollte gefüttert, aber sonst ignoriert werden; wir sollten ihn nicht als Haustier betrachten, sondern als einen gedungenen Mörder, einen Killer mit dem Auftrag, Ratten umzubringen.

Der erste Fehler war, ihm einen Namen zu geben: Gastone. Dann kam ein Korken an einem Bindfaden hinzu – um seinen Jagdinstinkt zu wekken, Sie verstehen, nicht etwa um ihn zu unterhalten –, dann ein erstes Streicheln, ein gedankenloses Kratzen hinter den Ohren. Weil es im Wesen des Universums liegt, daß Gastones Gattung die unsere seit Jahrtausenden zu sklavischer Unterwürfigkeit zwingt, fühlte er sich bald schon in beiden Häusern vollkommen daheim und zeigte eine klare Vorliebe für Lachs- und Huhn-Nuggets.

An einem Grundsatz hielten wir freilich eisern fest: Auf keinen Fall durfte Gastone unseren großen Hof verlassen und sich auf die Straßen von Venedig wagen. Dies zwang uns zu komplizierten Eintritts- und Austrittsritualen, jedes Mal wenn wir den großen *portone* der *calle* zum Innenhof öffneten. Doch da Gastone nicht kastriert ist, und weil gerade *il mese delle gatte* war, entwischte er vor einem Monat durch ein Fenster und verbrachte zwei Nächte außer Haus, bis er von den *animalisti*, die an seinem Halsband Adresse und Telefonnummer gefunden hatten, zurückgebracht wurde.

Von einer langen Zugreise etwas unaufmerksam geworden, öffnete ich heute Nachmittag den *por-*

tone – und sah nur etwas Braunes unten durchwit-schen. Gastone verschwand um die Ecke in die nächste *calle*. Ich stellte meine Tasche im Hof ab, schloß das Tor, lief ihm nach und säuselte in jenem falschen Tonfall, den wir verwenden, wenn wir ein Tier, das uns überlistet hat, anlocken wollen: »*Gastone, Gastone, vieni qua, Gastone.*«

Er kam auf mich zu, wich aus und rannte auf die Brücke zu, die zum Campo dei Miracoli hinunter-führt. Ich verfolgte ihn, wobei ich den Leuten, die sahen, was ich tat, ein falsches Lächeln zuwarf.

Die Restauration der Kirche am Campo dei Mi-racoli, die viele für die schönste der Stadt halten, ist abgeschlossen, weshalb die Kirche für Touristen wieder offen ist. Und für Katzen. Sechs, sieben Leute standen Schlange, um Eintrittskarten zu kau-fen. Ohne anzuhalten, um zu erklären, daß er Stadt-bewohner und sein Eintritt somit frei sei, rannte Gastone an ihnen vorbei durch den Mittelgang. Ich hielt genausowenig an, um zu erklären, daß ich Stadtbewohnerin sei, sondern schlenderte, falsch säuselnd, den Mittelgang entlang. Gastone sah die Tür zur Krypta und ging durch. Ich folgte ihm, um meinerseits vom Eintrittskartenverkäufer ver-folgt zu werden, der wütend fragte, was mir einfal-le. Meine Erklärung erübrigte sich, als Gastone an uns vorbei zurück in die Kirche lief.

Rasch hatte er die Stufen zum Hochaltar erklommen. Ich folgte ihm. Ohne die Touristen zu beachten, streunte er herum, schnüffelte, verharrte, glitt bald hier-, bald dorthin und entwischte mir die ganze Zeit. Lächelnd nickte ich den Leuten, die in den vorderen Kirchenbänken saßen und sich auf den Stufen drängten, zu und verfolgte ihn weiter. Er kam näher. Ich kniete mich hin, säuselte und wisperte falsche Versprechungen von Lachs. Er kam näher. Mit einem Sprung packte ich ihn am Genick.

Just in diesem Augenblick trat die Frau aus Dübendorf mit ihrem Venedig-Führer in die Kirche. Sie blieb hinten stehen, erstarrt ob des Anblicks einer vollkommen schwarz gekleideten Frau, die vom Hauptaltar der Kirche I Miracoli her durch den Mittelgang gelaufen kam, in der einen Hand eine Katze gepackt hielt und auf italienisch vor sich hin murmelte. Der Himmel weiß, was für sonderbare Vorstellungen von bizarren Riten, die diese Papisten praktizieren, sie nach Hause gebracht hat.

Der Siebenschläfer

Zu den peinlichsten Aspekten des Älterwerdens gehört die zunehmende Schwierigkeit, die eigenen Heucheleien zu ignorieren. In gewisser Hinsicht kann die Heuchelei geradezu als bestimmende Eigenschaft des modernen Lebens bezeichnet werden: Politiker entschuldigen sich für Dinge, welche die Regierung ihres Landes vor einem Jahrhundert getan hat; Nachrichtenagenturen entschuldigen sich für die Verbreitung von Nachrichten, die mit der Wahrheit absolut nichts zu tun hatten; Freunde von uns ergehen sich in elaborierten Rechtfertigungen dafür, daß sie sich mies verhalten haben. Wir sind somit wohlgerüstet dafür, Heuchelei in unserem eigenen Verhalten aufzudecken.

Seit Jahren lese ich ein breites Spektrum von Tierzeitschriften, habe verschiedene Tierschutzorganisationen unterstützt und mich in höchste moralische Entrüstung hineingesteigert angesichts jener fürchterlich egoistischen Bauern in Indien (oder Nepal oder Nigeria – wo, ist egal, solange sie nur möglichst weit weg sind), die nicht zulassen, daß Tiere ihr Land verwüsten, und sich wehren, wenn eine Regierungsorganisation den Schutz von Elefanten (oder Tigern, Trupialen, Texaskrötenechsen oder welchem Tier Ihnen auch immer einfällt) für ein größeres Gut als das wirtschaftliche Überleben der Bauern erklärt. Ich habe Fotos der Tiere gesehen, hingeschlachtet von diesen fühllosen Menschen, und immer habe ich auf der Seite der Tiere gestanden.

Bis der *ghiro* kam. Der Siebenschläfer ist ein allerliebstes graues Tierchen, dem Eichhörnchen verwandt, aber kleiner und viel niedlicher. Leicht hüpft es von Ast zu Ast, nimmt da und dort ein Nüßchen mit und ist ganz eigentlich unwiderstehlich und zweifellos zum Knuddeln. Es ist so putzig, daß es sich in Italien zur sprichwörtlichen Redensart gemausert hat: Wer tief und gut schläft, von dem sagt man *dorme come un ghiro*. Falls auf mein Italienisch-Englisch-Wörterbuch Verlaß ist, dann handelt es sich beim *ghiro* um eine *dormouse*, jenes süße kleine Wesen, das in *Alice im Wunderland* immer einschläft und vom Verrückten Hutmacher und dem Märzhasen in die Teekanne gesteckt wird (zu deutsch eine Schlafmaus oder ein Bilch). Leider ist der *ghiro* aber auch ein Nagetier. Das heißt, er knabbert und nagt an Holz herum und läßt sich nicht davon abhalten, in jedes Haus oder jeden Dachboden, der ihm paßt, einzudringen. Dort nistet das *ghiro*-Weibchen und zieht seine Jungen groß.

Ich habe sie auf den Balken meines Hauses in den Bergen nisten sehen, als ich es diese Woche öffnete. Darunter lag wie schmutziger Schnee ein Häufchen abgenagten Holzes, die Überreste meiner Balken aus dem 16. Jahrhundert. Außerdem waren da Exkremente und Urin. Die lassen sich wegputzen. Die *ghiri* selbst hingegen sind viel schwieriger zu entfernen.

Ich rief Mirto, meinen Maurerfreund, an, der daraufhin herüberkam und sich die Sache ansah.

»Du mußt sie loswerden, Mirto.«

»Aber das ist eine geschützte Tierart«, erklärte er, geschützt wie die Dachse, für die ich den ganzen Sommer kämpfe.

Und bevor ich sie zurückhalten konnte, waren die Worte mir entschlüpft: »In meinem Haus ist nichts geschützt.«

Nächstes Wochenende wird Mirto also mit einer Vier-Meter-Leiter kommen, damit er hochklettern und das Nest zerstören kann. Dann wird er jedes Loch, durch das sie hereinschlüpfen könnten – und sei es so klein wie der Durchmesser einer 100-Lire-Münze –, mit einer Mischung aus schnell abbindendem Zement und Glassplittern verstopfen, was das einzige ist, das verhindert, daß sie sich wieder auf demselben Weg durchnagen.

Und wenn das nicht klappt und sie doch zurückkommen? Dann stehe ich vor der gleichen Wahl wie diese ignoranten, für ökologische Fragen absolut unsensiblen Bauern in fernen Ländern: Gewalt oder die fortschreitende Zerstörung meines Besitzes. Bevor ich sie zurückhalten kann, sind mir die Worte schon entschlüpft: In meinem Haus ist nichts geschützt.

Frontberichterstattung

Zu den Folgen der amerikanischen Herrschaft über diesen Planeten gehört das Eindringen englischer Wörter in andere Sprachen. Im Lauf dieses Prozesses hat das Italienische das Wort *escalation* übernommen, und der italienischen Aussprache zum Trotz ist der Sinn des englischen Wortes derselbe geblieben und damit auch die in den vier Silben lauernde Gewalt.

Ich habe einen Großteil dieses Sommers mit Eskalation gegenüber den Siebenschläfern verbracht, die mein Haus in den Bergen belagerten. Den ersten Feldzug gewann ich, indem ich sie durch einen schlauen Flankenangriff von den Balken des Arbeitszimmers und damit aus dem Zentrum des Schlachtfelds vertrieb. Wenige Tage später saß ich auf der Veranda des Hauses und freute mich hämisch der Leichtigkeit meines Sieges, als mein Blick zufällig auf die Balken fiel, die das Vordach tragen. Und dort begegnete er vier schwarzen, runden Äuglein, klein wie Traubenkerne, die neugierig zurückblickten. »Sam und Louise«, brummte ich, sie unwillkürlich mit Namen versehend; und das war ein taktischer Fehler, denn sowie sie durch Namen individualisiert waren, waren sie nicht mehr nur »der Feind«.

Ganz zufrieden damit, den Gegner zu studieren, musterten wir einander zehn Minuten lang, bis mein Blick auf etwas fiel, das ich bis dahin für ein Schwalbennest gehalten hatte. Doch warum ringelte sich Sams Schwanz darum herum? Ich stand auf, ging zu meiner Nachbarin hinüber und borgte ihre Leiter aus. Ich lehnte sie an die Wand und kletterte, dunkle Verwünschungen ausstoßend, hinauf wie einer dieser nur scheinbar grimmigen Polizisten bei Dickens. Herausschmeißen würde ich sie, auf den Boden schmettern, ihre kleinen Gesichter in den Staub treten.

Doch als ich oben ankam, kauerte Sam (oder Louise) im Nest, die Pfoten an die Brust gezogen, die Schnurrhaare zitternd, der Körper bebend vor Angst angesichts dieses näher rückenden tobenden Monstrums. Einen Moment lang stand ich auf der Leiter oben, meine Augen nicht mehr als 15 cm von denen meines Feindes entfernt. Ich dürfte wohl siebenhundertmal größer sein als ein Siebenschläfer.

»Dir drehe ich den kleinen Hals um.« Er zitterte.

»Dich packe ich und schmettere ich auf den Boden, dann springe ich auf dich drauf und zerstampfe dich zu Brei.« Er blinzelte.

»Deine Vernichtung wird gnadenlos sein.« Seine Nase zuckte.

Lange Momente verharrten wir Aug' in Auge, dann kletterte ich die Leiter hinunter, um meinen nächsten Schachzug am besten zu planen. Im Lauf der folgenden Woche häufte ich eine Menge satanischer Vorrichtungen an. Da waren zwei Ökofallen, die die Tierchen unter Garantie fangen, aber nicht verletzen würden; sie wurden von den Siebenschläfern ignoriert. Da war ein Ultraschallgerät, das sie unter Garantie in den Wahnsinn treiben oder verscheuchen würde; ich konnte es nicht benutzen, da es der Katze meiner Nachbarin unangenehm war. Nach einem Rezept aus einer Tierzeitschrift mischte ich Olivenöl und Peperoncino und spritzte die Sauce mit einer Wasserpistole auf die Balken, wo ich die Tiere zuletzt gesehen hatte; ich vermute, Louise parfümiert sich damit hinter den Ohren. Und dann sagte mir ein vorbeifahrender Mann, es bringe etwas, einen Katzenkopf aus Plastik dort aufzuhängen, wo man das Nest vermute. Ich schnitzte also welche aus Styropor, bemalte sie sorgfältig, damit sie auch wie Katzengesichter aussahen, inklusive Schnurrhaaren aus Zahnseide, dann kletterte ich wieder hoch und hängte sie an kurzen Fäden in den vier Ecken des Daches auf.

Zwei Nächte später hatten wir einen schlimmen Sturm, Äste zerbrachen im Wind, und es rumpelte und pumpelte die ganze Nacht. Als ich am nächsten Morgen mit einem Kaffee auf die Veranda hinausging, sah ich unter der Stelle, wo ich Sam und Louise zuletzt gesehen hatte, vier haarlose, rosa Wesen, kaum größer als Cashewnüsse, tot auf dem Boden liegen. Vom Nest war nichts zu sehen, der Wind mußte es in die Felder hinter dem Haus gewirbelt haben. Ich holte eine Kelle, legte die Tierchen in eine Streichholzschachtel und begrub sie darauf unter dem Flieder bei der Treppe.

Die Fallen habe ich zurückgebracht, den Peperoncino verwende ich in Zukunft für die Pasta, und wenn ich mal wieder die Leiter bekomme, hole ich die Katzenköpfe herunter.

Blitz

Es war Liebe auf den ersten Blick. Die traf mich
zwar nicht zum ersten Mal, aber zum ersten
Mal wie der Blitz, so unmittelbar und so heftig, daß
es mir den Boden unter den Füßen wegzog. Er hieß
auch noch Blitz und hatte vier Beine, deshalb standen die Chancen für diese Liebe denkbar schlecht.
Aber ich war schon immer ein optimistischer
Mensch, also legte ich mein Herz in Amors Hände, er würde es schon richten.

Nach unserer ersten Begegnung ertappte ich
mich dabei, daß ich oft an Blitz dachte. Was hätten
meine Eltern vor Jahrzehnten wohl gesagt, wenn
ich Blitz mit nach Hause gebracht hätte, damit sie
ihn kennenlernen? Er ist nicht besonders groß,
gute sechzig Zentimeter; andererseits bin ich auch
bloß einszweiundsechzig, das hätte also nicht weiter gestört. Zum Glück sind meine Eltern welt-
offene Menschen, so daß ihnen auch der Umstand,
daß er schwarz ist, nicht das geringste ausgemacht
hätte. Der Bildungsunterschied zwischen uns war

allerdings erheblich, und davor hatten mich meine Eltern immer gewarnt, denn daraus könnten in einer Ehe ernste Probleme entstehen. Schließlich hatte ich jahrelang an der Universität studiert, während Blitz bloß ein dreimonatiges Training absolviert hatte. Für ihn sprach wiederum, daß er einen sicheren Job hatte, kerngesund war und, na ja, einfach umwerfend aussah.

Koketterie beiseite: Blitz ist ein Sprengstoffspürhund und tut seinen Dienst auf dem amerikanischen Luftwaffenstützpunkt in Aviano, eine Stunde nördlich von Venedig. Er ist ein Holländischer Schäferhund, acht Jahre alt und seit sechs Jahren in Aviano im Einsatz. Ich begegnete ihm, als ich vor eineinhalb Jahren den Stützpunkt besuchte, um für die »Zeit« eine Geschichte über die Eröffnung des neuen Army-Einkaufszentrums zu schreiben. Bei der Feier wimmelte es von Generälen in ordenbehangenen Uniformen, Cheerleadern von der Highschool und Kaufsüchtigen in langen Schlangen – und da entdeckte ich Blitz, der mitten im Getümmel neben seinem Hundeführer bei Fuß saß. Da ich schon mein Leben lang hundesüchtig bin, ging ich mit dem üblichen Gruß »Naaa, du bist aber ein Braver!« in die Hocke, denn für einen Hund mache ich mich jederzeit hemmungslos zum Narren. – »Den würde ich an Ihrer Stelle nicht anfassen, M'am«, sprach's von oben aus dem Mund des Sergeants, und als ich mich mit Pokerface erkundigte, warum nicht, erwiderte er: »Weil Blitz Ihnen sonst die Hand abbeißt, M'am.«

Knurrig sein ist, wie wir alle wissen, eine Technik, die selten ihre Wirkung verfehlt. Und knurriger als mit der Drohung, einem die Hand abzubeißen, kann ein männliches Wesen kaum werden. Es war taktisch wohl klüger, mich an Blitz über seinen Hundeführer heranzupirschen, deshalb begann ich mit dem Mann einen Plausch über dies und das: wo Blitz wohne, wer seine Eltern seien, wo er Dienst tue, ob er viele Freunde, vielleicht sogar Freundinnen habe. Der Sergeant beantwortete meine Fragen sachkundig, was mich nur noch neugieriger auf Blitz machte, und als ich durchblicken ließ, daß ich womöglich einen Artikel über den Hund schreiben wollte, strahlte sein Herr übers ganze Gesicht.

Die wenigsten Menschen können dem Drang widerstehen, die Tiere um uns herum zu vermenschlichen: Je näher ein Tier uns steht, desto mehr beharren wir darauf, daß es uns ähnlich ist. Bären und Elche mögen ja ruhig ihre absonderlichen Verhaltensweisen haben, und was die bedeuten, sollen unsere Tierexperten entschlüsseln, aber Hunde, Katzen und Konsorten, die wir ins Haus lassen, mögen uns doch bitte ähnlich sein, vielleicht nicht unbedingt in ihrem Verhalten, aber auf alle Fälle in ihren Gefühlen.

Blitz und die anderen Hunde, die mit ihm Dienst tun – Rocky, Layca, Carlo, Arny und Allan –, sind jedoch keineswegs die üblichen Freunde und Gefährten, die mit uns zusammenleben, uns unterhalten, aufheitern und lieben. Es sind Arbeitstiere, hoch spezialisierte Gebrauchshunde, die Rauschgift oder die chemischen Bestandteile einer Bombe bereits aus riesiger Entfernung wittern können, so daß sich bei ihnen die Vermenschlichung etwas komplizierter gestaltet, denn diese Hunde erweisen ihren menschlichen Begleitern andere Liebesdienste, als die Menschen sonst von ihren Hunden gewohnt sind. Im Zweifelsfall retten sie ihnen das Leben, indem sie selbst den gefährlichsten Angreifer umreißen. Die meisten Haushunde sind knuddelige Wesen, die den ganzen Tag herumliegen und begeistert jedes Familienmitglied ins Herz schließen, genaugenommen sogar jeden, der zur Tür hereinkommt oder ihnen vor dem Supermarkt den Kopf tätschelt. Sprengstoffspürhunde dagegen lieben ausschließlich ihren Hundeführer, wobei man, wenn man von »Liebe« spricht, natürlich schon wieder vermenschlicht. Nüchtern gesagt gehorchen sie ihren Hundeführern, reagieren willig auf deren

Befehle und sind aufgeregt, wenn sie mit ihnen zusammensein dürfen. Wenn irgendwo Liebe im Spiel ist, vermute ich sie eher auf seiten der Hundeführer, denn die sprechen von ihren Hunden nur mit dem allergrößten Respekt und genießen sichtlich jedes Lob, das den Tieren zuteil wird.

Die Zwingeranlage auf dem Air-Force-Stützpunkt in Aviano liegt etwas zurückgesetzt von der Straße, die von Pordenone nach Aviano führt. Es ist ein großes Fertiggebäude mit Zwingern für mindestens dreißig Hunde, in dem zur Zeit allerdings nur sechs Hunde untergebracht sind. Deren Job ist es, Rauschgift oder Sprengstoff aufzuspüren sowie Wach- und Sicherheitsaufgaben zu übernehmen. Nach allem, was mir die Soldaten über ihre Arbeit mit den Tieren erzählt haben, könnte man meinen, ein Hund brauche eigentlich nur eine gute Nase und eine gute Ausbildung, um ein Sprengstoffspürhund zu werden, und die zivile Flughafensicherung nimmt dafür auch tatsächlich immer häufiger Labradors, Border Collies und sogar Beagles. Die Hundeführer in Aviano bezeichnen diese Rassen dagegen mit Ekel in der Stimme als »passiv«. Das Militär braucht nämlich Hunde, die für zweierlei Zwecke einsetzbar sind: als Spürhund und als Schutzhund.

Hinter dem Gebäude liegt ein weitläufiges eingezäuntes Areal, auf dem die Hunde trainiert und ausgebildet werden. Wie es aussieht, ist hier auch der einzige Ort, an dem die Hunde frei herumtoben dürfen, denn sonst sind sie entweder im Zwinger oder im Dienst, sprich an einer kurzen Leine bei ihrem Führer, auf Wachposten am Eingangstor und auf Patrouille durch den Stützpunkt oder darum herum.

Den Mangel an Bewegung vermutet man jedoch nur als Außenstehender. Der zuständige Tierarzt, Dr. Martin Smith, erklärte mir, diese Hunde hätten wesentlich mehr Auslauf und eine bessere Kondition als ein durchschnittlicher Familienhund. Achtstundenschichten halten sie angeblich locker durch. Außerdem werden ihr Gewicht und ihr Gesundheitszustand ständig überwacht, und zweimal im Jahr werden sie auf Herz und Nieren durchgecheckt. Ein paar Monate zuvor hatte sich Blitz eine Zahnspitze abgebrochen, so daß eine Wurzelbehandlung fällig war, und die bekam er von einem der Militärzahnärzte. Keine Krone allerdings, ich habe extra nachgefragt. Der Druck, wenn bei einem Hund dieser Größe die Kiefer zuschnappen, ist nämlich so groß – über vier Zentner pro Quadratzentimeter –, daß er selbst die härteste Krone absprengen würde. Also hat Blitz jetzt ein Lächeln mit Lücke. Wenn die Hunde in Aviano irgendwann zu alt sind, um ihren Dienst zu tun, dürfen sie nach den Air-Force-Richtlinien nur von einem ausgebildeten Hundeführer übernommen werden, und wenn sie wegen einer tödlichen Krankheit nicht mehr einsatzfähig sind, werden sie eingeschläfert.

Genau das passierte letzten Sommer mit Roy, einem Deutschen Schäferhund. Dr. Smith diagnostizierte Knochenkrebs, und die Air Force als Besitzer des Hundes beschloß, daß er eingeschläfert werden sollte. Die Soldaten, die mir von Roys Tod erzählten – alles gestandene Männer im besten Alter –, waren dabei sichtlich bewegt. Sergeant Howard, der Zwingermeister, befand, Roy verdiene nach seinem lebenslangen treuen Dienst ein Begräbnis mit militärischen Ehren, und das bekam er dann auch, mit allen Schikanen inklusive 21 Schuß Salut von der Ehrengarde.

Das Thema Tod brachte mich auf die Frage, was eigentlich mit Haustieren passiert, die sterben, während ihre Besitzer in Aviano stationiert sind. Als ich mich bei Dr. Smith danach erkundigte, erklärte er mir, daß man mit einem italienischen Vertragspartner zusammenarbeite, der die Kadaver gegen Gebühr entsorge: 30 Dollar für eine Katze oder einen Hamster, 80 für eine Deutsche Dogge. Einäscherungen seien für eine Pauschale von 180

Dollar zu haben, dafür werde die Asche dem Besitzer dann ausgehändigt. Angesichts solcher Summen drängte sich mir der Verdacht auf, daß so mancher italienische Hausbesitzer im Garten ein verdächtiges Häuflein kleiner Gebeine verscharrt findet, wenn seine amerikanischen Mieter auf einen neuen Militärstützpunkt verlegt werden.

Obwohl es mir angesichts meiner zarten Regungen peinlich war, konnte ich es mir nicht verkneifen, nach dem Sexualleben von Blitz zu fragen. Fehlanzeige. Die Ausbildung wirkt so gründlich, daß nicht einmal die Witterung einer läufigen Hündin einen Befehl des Hundeführers ausheben kann. Hunde wie Blitz haben allenfalls dann die Aussicht auf ein erfülltes Liebesleben, wenn sie für das Zuchtprogramm des Verteidigungsministeriums ausgewählt werden, ein neues Projekt, das vermutlich ins Leben gerufen wurde, um den wachsenden Bedarf an Sprengstoffspürhunden zu decken. Zur Zeit kauft das amerikanische Militär die meisten Hunde noch von Händlern in Amerika oder Europa, allerdings mit Vorbehalt und einer Rückgabefrist von zehn Tagen, innerhalb deren ihr Gesundheitszustand und ihr natürlicher Jagdtrieb ausgiebig geprüft werden.

Die Männer, die mit diesen Hunden arbeiten, merken alle im Lauf der Zeit, daß sich ihr Leben mit dem der Tiere verquickt. Besonders deutlich wurde das, als wir uns über den »Charakter« ihrer Hunde unterhielten – und natürlich entschuldigten sie sich dafür, daß sie überhaupt von »Charakter« sprachen. Layca ist zum Beispiel richtig eigen, und ihr Hundeführer weiß nie, ob sie gleich beißt, knurrt oder jemanden anspringt. Rocky, darüber waren sich alle einig, ist der entspannteste und friedlichste Hund, ja, im Verlauf der Unterhaltung über Rocky hatte ich sogar den Verdacht, daß den Hundeführern das Schreckenswort »passiv« schon ganz vorn auf der Zunge lag. Blitz galt zu meiner großen Befriedigung als der Schönste, das mußten alle zugeben.

Wir kamen dann noch auf Gefühle zu sprechen, und die Soldaten wiesen den offiziellen Standpunkt, diese Tiere hätten keine Gefühle, weit von sich. Sie redeten von Liebe, Abneigung und Eifersucht und brachten als Beweis das Beispiel eines Hundes vor, der seinen Führer eine Zeitlang mit einem anderen Hund teilen mußte. Immer wenn der Hundeführer den neuen Hund zum Dienst oder zum Training abholen wollte, versuchte der erste mit allen Mitteln, die Pfote durchs Gitter zu stecken und dem Konkurrenten eins überzubraten, und jedes Mal, wenn der neue in Begleitung des Hundeführers an seinem Zwinger vorbeikam, knurrte ihn der alte aggressiv an. Außerdem hob er in den Wochen, als er nicht der einzige Hund seines Herrn war, immer wieder lahm eine Pfote und tat so, als sei er verletzt. Eifersüchtig? Wie soll man das sonst nennen! Da können die Tiertheoretiker sagen, was sie wollen. Und nachdem ich eine Weile zugehört hatte, wie diese Hundeführer von ihren Tieren sprechen, stand für mich außer Frage, daß Liebe mit im Spiel ist.

Alle Theorie ließ ich sausen, als ich eines Tages auf den Übungsplatz mitgenommen wurde. Bevor ich den Hunden irgendwie nahe kommen durfte, mußte ich mich in einen Schutzanzug zwängen. Diese Verkleidung, die aus dickem, wattiertem Sackleinen besteht und gut zehn Kilo wiegt, ist zwar kein modischer Geniestreich, schafft es aber, den Träger vor den Attacken der Hunde zu bewahren, vor diesen vier Zentnern Beißdruck genauso wie vor dem wiederholten schnellen Zuschnappen, das die Hundeführer »Klavierspielen« nennen.

Ich stand also auf der Wiese, hinter mir die schneebedeckten Dolomiten, und dann ließ der Hundeführer Blitz von der Leine. Ein paar für mich endlose Minuten lang hatten Blitz und ich Zeit, uns endlich näher zu kommen. Ich stand in meinem Anzug da und breitete die Arme aus, und Blitz saß vor mir, visierte meine Kehle an und bellte.

Der Zahn mit der Wurzelbehandlung fehlte keineswegs, im Gegenteil: In diesem Maul schienen 92 Hauer zu stecken, die alle so groß wie Sardinen schienen. Während ich den bellenden Blitz beäugte, mit ansah, wie der Geifer auf meine Füße spritzte, und diese Hauer zählte, kam mir plötzlich eine Szene von vor zwanzig Jahren in den Sinn, als ich während der Revolution aus dem Iran evakuiert wurde und ein junger Revolutionswächter in unseren Bus stürmte und mir seine Kalaschnikow unter die Nase hielt. Seitdem hatte ich nie wieder diese nackte, animalische Angst verspürt.

Nach unserem Rendezvous auf dem Übungsplatz, bei dem Blitz und ich uns weiß Gott nahe gekommen waren, beobachtete ich ihn dann noch einmal mit seinem Hundeführer zusammen. Und in diesen paar Augenblicken, als der Soldat ihm den Kopf kraulte, sich von seiner langen Zunge den Hals ablecken und den Hund aus der eigenen Wasserflasche trinken ließ, drang erst so richtig in mein Bewußtsein, daß Blitz, sogar der furchterregende Blitz mit seinen unzähligen Hauern, diese wundersame Hundeeigenschaft an sich hat, die das schafft, was Emily Dickinson das »herzliche Band« zwischen Mensch und Tier nannte. Und schon war es mir wieder herausgerutscht: »Naaa, du bist aber ein Braver!«

Wie ich zum erstenmal Schafsauge aß

Nur daß ich's nicht gegessen habe, Sie können also getrost weiterlesen. Schauplatz war der Iran, gegen Ende der islamischen Revolution von 1979, die uns Westler allesamt aus dem Land vertreiben sollte. Iranische Freunde hatten für meinen Partner William und mich ein Festmahl ausgerichtet: Seit Verhängung des Kriegsrechts wußte jeder – mit Ausnahme der US-Regierung –, daß unsere Tage im Iran gezählt waren, weshalb die Freunde uns mit dieser besonderen Einladung noch einmal ihre Verbundenheit und Wertschätzung bekunden wollten.

Wir waren früher schon bei ihnen zu Gast gewesen, genau wie sie bei uns, kannten also Parveens Küche und erwarteten eine ihrer Spezialitäten wie gefüllte Weinblätter, gebackene Pastetchen mit Ei und Spinat oder Lammbraten. Als wir ankamen – ziemlich früh, da wir ja bei Einbruch der Dunkelheit, wenn die Ausgangssperre begann, wieder zu Hause sein mußten –, sahen wir Parveens Mutter in der Küche hantieren: gewiß ein gutes Zeichen, denn die *chanum*, die Dame des Hauses, wurde in der ganzen Nachbarschaft für ihre Kochkünste gerühmt. Auch Parveens Vater sowie ihre Schwester nebst Ehemann waren zugegen: Je mehr Familienmitglieder mit uns speisten, desto größer die uns erwiesene Ehre.

Auf dem niedrigen Tisch, um den wir uns versammelten, Männer und Frauen gemeinsam, was in einer traditionsbewußten Familie eigentlich streng verpönt war, standen Pistazien, Mandeln, Rosinen, eine Schale Gurkenjoghurt. Wir tranken Tee, machten höflich Konversation und überhörten geflissentlich das Maschinengewehrfeuer, dessen Echo von Zeit zu Zeit durch die Hausmauern drang.

Nach ungefähr zehn Minuten bat Parveen, sie zu entschuldigen, und entschwand über den Hof zur Küche, von wo sie alsbald mit einer Reisplatte so groß wie ein Wagenrad zurückkehrte, in deren Mitte ein dampfender Fleischberg aufragte. Parveen stellte die Platte auf den Tisch und häufte jedem von uns eine große Portion Reis und Fleisch auf den Teller. Zum Schluß fuhr sie mit dem Löffel zwischen die Fleischreste, förderte in rascher Folge zwei runde Gebilde zutage, die aussahen wie Murmeln, und ließ eine auf Williams, die andere auf meinen Teller gleiten.

Obwohl ich genau wußte, was da eben Entsetzliches passiert war, führte ich meinen Monolog über den richtigen Gebrauch des Plusquamperfekts ohne Stocken fort. Und William, dem ebenso klar war, was uns bevorstand, lauschte atemlos wie einer, der sich im Leben nichts sehnlicher wünscht, als endlich den tieferen Sinn des Plusquamperfekts zu ergründen.

Alle langten zu, ich vielleicht etwas zögerlicher als die anderen. Noch nie hatte ich so trockenen Reis gegessen; die gegarten Rosinen blieben mir einzeln im Halse stecken. Ich trank ein paar Gläser Tee und schob die eklige Kugel angelegentlich mit der Gabel vom linken an den rechten Tellerrand. Hin und wieder senkte ich auch den Blick und bewunderte die Delikatesse, die meiner harrte, damit alle sahen, daß ich mir das Beste bis zuletzt aufsparte.

William, dessen Mut ihn oder vielmehr uns während des monatelangen Ausnahmezustands nie verlassen hatte, benahm sich auch diesmal wie ein Held und schluckte sein Schafsauge auf einen Satz herunter. Damit war nur noch meines übrig, das zuweilen vom Teller zu mir heraufstarrte.

Die Mahlzeit neigte sich dem Ende zu. Als Dessert würde man uns noch Reispudding mit Rosenwassergeschmack servieren. Ich schielte nach meinem Teller, und das, was darauf lag, stierte zurück. Ich dachte an den Rat, mit dem viktorianische Mütter ihre Töchter auf die Hochzeitsnacht vorzubereiten pflegten: Schließ die Augen und denk an England.

In der angrenzenden Straße explodierte eine Handgranate, zumindest krachte es so, wie man es von einer Handgranate erwarten würde. Parveens Vater stieß mit dem Knie gegen den Tisch, daß der Wasserkrug ins Schlingern geriet. Rettende Hände schnellten vor: Ein Glas Tee wurde auf den Teppich gefegt, die Joghurtschüssel kippte um. Als die Ordnung wiederhergestellt war, saß ich vor einem leeren Teller und lächelte verzückt über die mir erwiesene Ehre und die besondere Gaumenfreude, die sie mir beschert hatte.

Der Reispudding wurde aufgetragen, und dann war es auch schon Zeit zum Aufbruch, wenn wir vor der Sperrstunde daheim sein wollten. Hastiges Händeschütteln reihum; Parveens Mann begleitete uns noch bis zu unserer Straßenecke, wo wir mit abermaligem Händeschütteln und Verbeugungen Abschied nahmen.

»Wo hast du's?« fragte William, als er die Haustür aufschloß.

»Im Taschentuch, in der Jackentasche. Ach, und ab heute bin ich Vegetarierin.«

Über Männer

Sensual Classics

Der musikalische Glanzpunkt der Opernsaison 1997 war für mich Händels *Ariodante* in Amsterdam, eine konzertante Aufführung, das heißt, daß die Sänger nur dastehen und singen: keine Kostüme, keine Szenenbilder, keine befremdliche Gestik, keine wackelnden Kulissen. Mark Minkowski dirigierte eine der spannendsten Aufführungen einer Händel-Oper, die ich je gehört habe, und Anne Sofie von Otter bestätigte meine lange gehegte Meinung, daß sie zu den besten Sängerinnen von heute gehört. Ariodante ist eine der Rollen, die Händel für einen Kastraten geschrieben hat, und da wir heutzutage – leider – keine singenden Kastraten mehr haben, wird der Part von einer Frau gesungen, meist von einem Mezzosopran, wie auch in diesem Fall. Aber Ariodante ist ein Mann. Auch wenn der Mann, der die Rolle ursprünglich sang, kein ganzer Mann war, die Zuhörer des achtzehnten Jahrhunderts waren mit der Konvention vertraut und taten so, als wäre noch alles an ihm dran.

Zweihundert Jahre später tun wir, obwohl die Sänger weibliche Körperteile haben, im Einklang mit unserer Konvention ebenfalls so, als ob Ariodante ein Mann wäre.

Ich wartete ungeduldig auf das Erscheinen der CD, denn ich war neugierig, ob meine akustische Erinnerung sich bestätigen würde. Endlich fand ich sie in einem Plattenladen an der Zürcher Bahnhofstraße und bekam sie prompt von einem allzu großzügigen Freund geschenkt. Das Etikett war eindeutig, denn da stand der Name – Ariodante – und ein Foto von Anne Sofie von Otter war zum Beweis ebenfalls darauf. Da stand sie, schwarzweiß fotografiert, die linke Schulter unter einem Stück Rüstung, so einem gehämmerten Eisenteil, wie man es in Museen sieht und sich dann wundert, wie klein die Ritter waren. Es ist mit einem zarten Blumen- und Vogelmuster verziert und wirkt doch stark genug, um ihre Schulter vor einem gewaltigen Hieb zu schützen. Aber darunter trägt sie ein schwarzes Cocktailkleid mit tiefem V-Ausschnitt, das eine leise Andeutung eines Dekolletés zeigt.

Dekolleté? Ariodante mit Busen? Aber Ariodante ist doch ein Mann. Gut, gut, ich weiß, daß er kein wirklicher Mann ist, weil er von einer Frau gesungen wird, aber er *soll* ein Mann sein. Und Männer haben keine Busen. Sie haben Muskeln.

Ich sah mir ihr Gesicht an. Ihr Haar war geschnitten wie das eines Mannes, aber sie trägt ihr Haar seit Jahren so. Außerdem hat sie Lippenstift aufgetragen, schlecht nachgezogene Augenbrauen und wurde gerade in dem Moment geknipst, als sie nach links schaute, als fragte sie sich, wann dieser alberne Fototermin wohl zu Ende sei.

Neugierig geworden ging ich durch die Reihen der Klassik-Abteilung und ließ den Blick über die Hüllen verschiedener CDs wandern. Nach einer Viertelstunde hatte ich es schließlich begriffen. Musik allein genügt nicht mehr, oder verkauft sich nicht mehr. Nein, es muß Sex mit Musik sein, oder wie im Falle einiger gräßlicher Aufnahmen, die ich mir an diesem Tag anhörte, Sex allein. Neugierig gemacht durch die Erotik auf den Hüllen, suchte ich mir ein paar CDs heraus und hörte sie mir an. Da ist eine Cellistin, die es mit ihrem Instrument zu treiben scheint, zweifellos weil sie nichts anderes damit anfangen kann. Dann gab es da eine Serie mit Namen Sensual Classics II, in deren Broschüre ein junges Paar sich scheinbar leidenschaftlich eines an des anderen Kleidung vergeht. Aufstrebende junge Soprane stellten reichlich Dekolleté zur Schau. Aber nicht zu überbieten war eine junge orientalische Geigerin, die in einem großen Teich steht und so etwas Ähnliches wie eine weiße Violine hält. Bemerkenswert war, daß, ganz wie die Augen jener auf Samt gemalten leidenden Christusgesichter, ihre Brustwarzen mich überallhin verfolgten.

Während die Verquickung von Sex und Popmusik einem ganz normal vorkommt, empfinde ich den Gedanken, mit ihrer Hilfe klassische Musik verkaufen zu wollen, als Beleidigung. Plötzlich ekelte mich dieser widerliche Cocktail so an, daß ich meine CD nahm und nach Hause ging, um sie mir anzuhören. Und ich verbrachte drei Stunden im Paradies. Busen hin, Busen her, Ariodante ist heroisch und leidenschaftlich, und Anne Sofie von Otter ist eine der großen Sängerinnen unserer Zeit. Mit oder ohne Busen.

Latin Lover

Alle paar Jahrzehnte, so scheint es, wird Italien neu »entdeckt«. Die Engländer des 19. Jahrhunderts, die Amerikaner nach dem Zweiten Weltkrieg – sie alle entdeckten Italien, verfielen seinem mannigfaltigen Zauber und schrieben darüber in Worten, aus denen die Leidenschaft und der Optimismus strahlten, die schon immer die größte Zierde einer jungen Liebe waren. Seit einigen Jahren sind die Europäer mit dem Entdecken an der Reihe, und vielen von ihnen schlägt das Herz höher in diesem magischen Land, dessen Bewohnern es offenbar gemeinsam ist, nichts weiter zu wollen, als glücklich zu sein, zu leben und sich auch den gewöhnlichsten Augenblicken des Daseins mit Leidenschaft und Gusto hinzugeben.

Es wurde schon vieles über das »neue« Italien gesagt und geschrieben, das Italien, das der Welt einen Begriff von Stil gegeben hat, in dem sich die vollkommene Harmonie von Eleganz und Schlichtheit zeigt. Man denke nur an die anmutige Linienführung am Revers eines Armani-Jacketts, die Nähte an einem Schuh der Fratelli Rossetti, schon sieht man den Beweis für dieses instinktive Streben nach dem Geschmackvollen und Gutgemachten. Selbst das einfachste Essen in einer Arbeiter-Trattoria bietet ein weiteres Zeugnis für dieses Streben nach Vortrefflichkeit. Und ich glaube, daran sieht man, wie sehr das neue Italien das legitime Kind des alten ist, denn wenn die italienische Geschichte uns etwas zu erzählen hat, dann von der ewig dauernden Liebesbeziehung der Italiener mit Schönheit, Eleganz und jener schwer zu fassenden Eigenschaft der *bella figura*.

Auch der italienische Mann wurde entdeckt – dieser Halbtagsmacho, der nach Hause kommt und beim Abwasch hilft, dieser verführerische Juwelier, der am Sonntag mit seinen Kindern in den Lunapark geht und auf dem fliegenden Dinosaurier mit ihnen vor Vergnügen jauchzt. Das Gemeinsame in diesen beiden Bildern ist die Familie, dieses Fundament, von dem alle italienischen Männer kommen und zu dem sie alle zurückkehren wollen –, jegliche Betrachtung über den italienischen Mann, ob alt oder neu, muß hier beginnen.

Eine der Eigenschaften, die den italienischen Mann am meisten charakterisierten, ist die absolute Gewißheit seines Selbstwerts, die von ihm ausstrahlt und ihn mit einer Aura seelischer Gesundheit umgibt, die ihn vor Schicksalsschlägen und Verlust schützt, und diese Sicherheit erwächst ihm aus der Familie. Man braucht sich nur italienische Kinder beim Spielen in den Parks oder den schmalen Gassen ihrer Städte anzusehen. Dabei beachte man die Perfektion ihrer Kleidung, die Qualität der kleinen Schuhe, aus denen sie nächste Woche herausgewachsen sein werden. Und wenn man sich umsieht, befindet sich in ihrer Nähe, allzeit aufmerksam und voll Bewunderung, immer eine Verwandte – Schwester, Tante, Mutter, Großmutter –, und in ihren Augen ist dasselbe Leuchten, das sie erfüllt, wenn bei der Messe die Hostie über ihren Köpfen erhoben wird. Denn da ist er: *il figlio maschio*, und in ihm manifestiert sich die Glorie ihrer Kultur, die Hoffnungen und die Zukunft der Familie, die Männlichkeit des Vaters und die Weiblichkeit der Mutter. Alles ist da, in diesem angebeteten kleinen Jungen, der von Geburt an weiß, daß er für alle um ihn herum der Mittelpunkt des Universums ist, daß jeder Augenblick seines wachen Lebens, jedes Wort, jede Geste ein Quell größter Freude für die Menschen in seiner Umgebung ist. In nichtromanischen Ländern betrachtet man diese blinde Anhimmelung mit großem Mißtrauen, hält sie für den Ursprung unentrinnbarer Komplexe, die

Schlange im Garten des Lebens, die sichere Ursache künftiger psychischer Krankheiten. Hier in Italien ist sie hingegen nichts weiter als der Ausdruck einer ganz bestimmten Form von Liebe, und was dabei herauskommt, ist wie eh und je, seit die Wölfin jene beiden kleinen Jungen säugte, ein Mann, der sein ganzes Leben lang nie irgendwelche Zweifel an seinem Wert oder seiner Männlichkeit hegt.

Es sind natürlich unzählige Klischees über den italienischen Mann im Umlauf, vor allem die Uraltgeschichten vom Latin Lover und dem zigarrekauenden Mafioso; und neu jetzt vom Geschäftsmann im Kaschmiranzug mit Gucci-Aktenkoffer in der einen Hand und dem *telefonino* in der anderen. Wie alle Klischees haben sie ihren Quell im Leben, denn solche Typen gibt es gewiß, aber sie sind selten, und die meisten Italiener machen sich über sie lustig, ungefähr wie in den Witzen über die ewige Dummheit der Carabinieri – sie treten immer zu zweit auf: einer, der schreiben, und einer, der lesen kann. Der wirkliche italienische Mann, falls es ihn überhaupt gibt, ist weit interessanter als sie alle, und er ist das Produkt dieser rückhaltlosen und unkritischen Liebe, die seine Familie zusammenhält.

Die Geschichte hat es nicht immer gut gemeint mit Italien, Armeen kamen und gingen, Invasoren fegten über die Halbinsel, und seit Jahrhunderten erwiesen sich verschiedene Regierungsformen als in unterschiedlichem Maß korrupt und inkompetent. Unter diesen Umständen leuchtet es ein, daß das einzige Gemeinwesen, dem die Italiener trauen, die Familie ist. Demnach ist es die Familie, die es zu erhalten gilt, und es ist dieser Glaube – denn das ist der wahre Glaube der Italiener –, dem sie Gehorsam schulden. Wenn man das begriffen hat, kann man den italienischen Mann besser verstehen. Seine Frau, die Mutter seiner Kinder, verdient jederzeit Achtung, auch wenn diese Achtung sich nicht unbedingt in Treue niederschlagen muß. Arbeit ist wichtig, Erfolg lebenswichtig, denn dann kann er seine Kinder besser vor den stetigen Ungewißheiten der Zukunft schützen. Und Vergnügen, das ihm dieselbe ungewisse Zukunft jederzeit nehmen könnte, Vergnügen gilt es in all seinen mannigfaltigen und herrlichen Formen zu suchen: gutes Essen, guter Wein, guter Sex, die sanfte Liebkosung eines Seidenschals, die Freude am Besitz von Dingen, die gut gemacht und von hoher Qualität sind.

Mit zum Erstaunlichsten an diesen Männern gehört – zumindest für Nichtromanen – das völlige Freisein von schlechtem Gewissen, mit dem diese Vergnügen angenommen werden. Frauen wollen geliebt, Geld ausgegeben, das Leben gelebt werden

– und sie genießen diese Freuden mit derselben schlichten Gier, mit der sie das Eis schleckten, das jene schwärmerischen Tanten und Schwestern ihnen einst schenkten. Schließlich ist Genuß ihr Geburtsrecht, und wer will es ihnen verdenken?

Sowenig, wie es italienischen Männern gegeben ist, an ihrer Männlichkeit zu zweifeln, würde es ihnen einfallen, ihre Figur in Frage zu stellen – ob sie passabel oder gar begehrenswert sei. Wie Tiere und kleine Kinder fühlen sie sich ganz in ihren Körpern zu Hause, und ihre erotische Ausstrahlung nehmen sie für selbstverständlich. Man sieht sie nicht in die Fitneßstudios strömen, um ihren Bauch abzuarbeiten, auf dem Laufband rennen, um diese fünf Kilo zuviel loszuwerden, und man sieht sie keine Gewichte stemmen, um eine Figur zu bekommen, die einen Adonis vor Neid erblassen ließe. Wenn sie einen Bauch bekommen, nun gut, der Schneider wird sich seiner annehmen. Und wenn der ihn nicht gut genug kaschieren kann, sucht man eben Schutz hinter dem Wort *robusto*, mit dem man sich selbst bezeichnet. Der Gedanke an Diät hat für sie eine gewisse Komik, und den ganzen Nichtraucherkram finden sie pervers und fremdländisch. Wenn Essen und Rauchen körperlichen Genuß bereiten, gibt es doch keinen Grund, sie dem Körper vorzuenthalten.

Mit alldem soll nicht der Eindruck erweckt werden, sie wären nichts weiter als einfältige Hedonisten, denn dafür sind italienische Männer viel zu fein und komplex. Vielleicht wäre es gut, bei einer Betrachtung über sie ganz auf den Begriff Hedonismus zu verzichten und sie statt dessen als die letzten wahren Heiden in Europa zu sehen; Männer, für die Eitelkeit eine Tugend ist, kein Laster; Männer, für die Genuß etwas Erstrebenswertes ist, keine Sünde.

Jeden Monat veröffentlichen Zeitungen und Zeitschriften hierzulande ihre Meinungsumfragen und liefern die Ergebnisse verschiedener Untersuchungen, die sich mit den soziologischen, psychologischen und emotionalen Aspekten im Leben italienischer Männer befassen. Wie es aussieht, heiraten immer weniger von ihnen, und noch weniger tun das in der Kirche. Immer mehr von ihnen färben sich die Haare, immer mehr lassen sich scheiden oder trennen sich von ihren Frauen, immer weniger haben mehr als ein Kind. Und trotzdem, inmitten dieser Flut von Informationen, dem Schwall von Fakten und scheinbaren Fakten, geht der italienische Mann gelassen seinem Geschäft nach, nämlich dem, nichts weiter als ein Mann zu sein. Und allein aufgrund dieser Tatsache wird ihm immer noch eine besondere Stellung in der Gesellschaft zugestanden. Ein Blick auf die Regierenden, die Geschäftswelt und die Universitäten zeigt, daß seine Stellung unangefochten ist, denn das Land befindet sich noch immer fest in Männerhand, und es ist unwahrscheinlich, daß sich dies in naher Zukunft ändern wird, obwohl viele, Männer wie Frauen, es gern sähen. Gewiß haben auch viele Frauen schon wichtige Positionen erklommen – die beiden letzten Parlamentspräsidenten waren weiblichen Geschlechts –, und *la donna manager* ist eine Kraft, die sich in Handel und Industrie zunehmend bemerkbar macht. Aber Italien ist immer noch ein Land der Männer.

Diese männliche Vormachtstellung unterscheidet sich jedoch sehr von der, die man in anderen Ländern beobachtet, vielleicht weil sie gemäßigt wird durch die echte Zuneigung und Achtung, die italienische Männer gegenüber Frauen empfinden, ebenso wie durch die Tatsache, daß Frauen in Italien den Männern rechtlich völlig gleichgestellt sind. Man denke nur an so elende Länder wie Saudi-Arabien, wo man Frauen die grundlegendsten menschlichen und rechtlichen Freiheiten verweigert, dann weiß man es zu schätzen, wie Frauen hierzulande ihre Unabhängigkeit wahrnehmen können und es auch tun.

Bei allen Überlegungen zur Stellung der Frau

in diesem Land muß man auch jenes ungreifbare Etwas in Betracht ziehen, das in Italien an allen Ecken und Enden deutlich spürbar wird: die unverfälschte Freude, die es italienischen Männern macht, mit Frauen zusammenzusein. In den meisten Gesprächen zwischen einem Mann und einer Frau – ob es der Ehemann oder Liebhaber oder einfach der Mann ist, bei dem sie ihren Käse und *prosciutto* kauft – schwingt eine gewisse Erotik mit, die von beiden Seiten als Möglichkeit wahrgenommen wird, und sei sie auch noch so weit hergeholt. Vielleicht klingt das jetzt nach den Phantastereien einer sexuell ausgehungerten alten Jungfer, aber jede Frau, die einmal hier gelebt hat oder zu Besuch gewesen ist, hat sicher oft dieses erotische Knistern gespürt, mit dem auch das scheinbar harmloseste Gespräch mit einem italienischen Mann geladen ist.

Manche mögen das aufdringlich finden, es als ungebetene Vertraulichkeit seitens eines Fremden sehen, aber für viele italienische Männer ist es nicht mehr als der einer Frau gebührende Tribut, nicht koketter oder anzüglicher als der bewundernde Blick, mit dem man ein Gemälde oder ein blühendes Mohnfeld ansieht. Frauen sind dazu da, den Männern Freude zu bereiten, die Geschlechter sind dazu da, einander Freude zu bereiten, und so kommt mit dem *pecorino* ein Kompliment über die Theke, mit dem *stracchino* ein Lächeln, das die Seele wärmt und von dem spricht, was alles hätte sein können.

An italienischen Männern wurde schon oft kritisiert, sie seien so oberflächlich wie Schuljungen und blieben ihr ganzes Leben lang in der Pubertät. Die Frage ist hier vielleicht nicht so sehr, ob das auf italienische Männer zutrifft, vielmehr, ob es nicht auf alle Männer zutreffen könnte. Wenn es auf italienische Männer zutrifft, kann man diese Oberflächlichkeit auf jeden Fall als integralen Bestandteil ihres großen Charmes sehen und, weil das in Italien immer mit im Spiel ist, als weitere Folge ihrer zentralen Bindung an die Familie. Wenn die Familie das einzige Band von Bedeutung ist, dann dürfen alle anderen Bindungen ganz einfach oberflächlich sein. Das große Geheimnis der Italiener liegt darin, daß menschliche Kontakte, die oberflächlich und vorübergehend sind, deswegen nicht unbedingt unwichtig oder trivial sein müssen.

Für eine Frau bedeutet ein Abend mit einem italienischen Mann, sei es Freund oder Liebhaber, Kollege oder Ehemann, sich immer wieder der Unterschiede zwischen den Geschlechtern bewußt zu werden. Der Anlaß muß nichts weiter sein als die altmodische Geste, ihr beim Hinsetzen den Stuhl herauszuziehen, oder die einem Zigeuner abgekaufte, mit einem Lächeln überreichte Blume, aber ebensogut kann es eine hitzige Debatte über Politik oder Musik sein, in der ihre Ansichten ernstgenommen werden und er die seinigen vielleicht ihretwegen korrigiert. So oder so, sie wird sich geborgen fühlen in der Wärme, die entsteht, wenn sie mit jemandem zusammen ist, der sie *mag*, für den das schlichte Geschenk ihrer Gesellschaft ein Quell der Freude ist und der diese Freude nicht zu verhehlen trachtet. Manche mögen in ihm den neuen italienischen Mann sehen, aber wer das große Glück hat, in diesem gesegneten Land leben zu dürfen, erkennt in ihm den italienischen Mann, der er schon immer war und mit Gottes Segen immer sein wird.

Was sagt man im Bett?

Wenn ich in die Vereinigten Staaten zurück-
komme, bin ich jedesmal überrascht von
dem, was ich dort vorfinde, aber im Lauf der Jahrzehnte habe ich zwischen den regelmäßigen und
den neuen Überraschungen zu unterscheiden gelernt. Die regelmäßigen sind die, von denen ich
jedesmal wieder überrascht werde: die dicken Menschen, aufgebläht wie Gummikissen und alle in pa-
stellfarbenen Trainingsanzügen, über deren Größe
man gar nicht mehr spekulieren mag. Dann die
immer wiederkehrende Überraschung über die Banalität der Sprache, jeder Satz mit einem irgendwo
hineingequetschten »*like*«, das die Funktion eines
»äh« hat, zum Beispiel in: »*He was, like, tall*« (Er
war, äh, groß), oder: »*Should we, like, go?*« (Sollen
wir, äh, gehen?) Dann, als absolut zuverlässige
Überraschung, die grauenvollen Fernsehprogram-
me, ein Mist, der nie enttäuscht. Und jedesmal,
wenn ich die U-Bahn vom Flughafen JFK nehme,
bin ich überrascht, wie viele Schwarze ich sehe.

Schließlich wären da noch die neuen Überraschungen, und wie jeder gute Tourist versuche ich mich auf eine pro Besuch zu beschränken. In den sechziger und siebziger Jahren waren die Serienmörder oft noch eine neue Überraschung, aber im Lauf der Jahre wurden sie so normal, daß ich sie in die Kategorie der regelmäßigen Überraschungen umsortieren mußte. Ebenso die älteren Ehepaare, die einander umbringen, um dem jeweils anderen »die Qual eines langsamen Dahinsiechens an Alzheimer zu ersparen«. Sobald ich feststellte, daß es immer der Mann war, der die Frau umbrachte, und zu argwöhnen begann, daß ein weniger edles Motiv dahinterstand als vorgegeben, mußte ich auch sie wohl oder übel der Kategorie der wiederkehrenden Überraschungen zuschlagen.

Bei der letzten Reise erwartete mich jedoch eine echte Überraschung, die sogar eine alte Zynikerin wie mich umhaute. Sie schlich sich von der Titelseite der *Asbury Park Press* an, einer Lokalzeitung im südlichen New Jersey. Anfang Juni ist die Zeit der High-School-Abschlußprüfungen, deren Höhepunkt der an einem der letzten Schultage stattfindende Abschlußball ist. Ob man hingeht und mit wem, ist für jeden High-School-Absolventen des Landes der ultimative Gradmesser seiner Gesellschaftsfähigkeit. Nicht hinzugehen bedeutet den Ausschluß aus der Gesellschaft, als hätte man Aids oder, da diese Krankheit nun offenbar unter Kontrolle ist, Lepra.

Die Frühausgabe brachte eine erste Meldung. Während des Abschlußballs hatte man in der Mädchentoilette ein Neugeborenes gefunden. Tot natürlich. Im Lauf der nächsten Tage entwickelte die Geschichte sich weiter und bewegte sich bald im Bereich der Tagesgespräche und Gerüchte. Eines der Mädchen hatte sich in einer Tanzpause auf die Toilette geschlichen, das Kind geboren und in den Abfalleimer geworfen und war dann wieder in den Ballsaal gegangen. Das Ganze war unbemerkt geblieben, hieß es, weil das Mädchen so dick war, daß die Schwangerschaft niemandem aufgefallen war. Einer Putzfrau war der Müllsack merkwürdig schwer vorgekommen, und sie hatte ihn geöffnet. Erschrecken und Entsetzen; eine Autopsie wurde anberaumt. Ein Mädchen wurde verhört, ein Name aber nicht genannt.

Zwei Tage später brachte die *New York Post* ihr Foto mit der knalligen Schlagzeile: »Melissa, wie konntest du?« Eine Freundin – wer sonst? – hatte sie verpfiffen, ihr Name und Foto waren der Presse zugespielt worden. Großes An-die-Brust-Schlagen. Infragestellung des Nationalcharakters. Kann die Demokratie überleben? Wenn sie erst anfangen, die Großen Fragen zu stellen, wird Weiterlesen unmöglich.

Ich wandte mich also lieber wieder dem ländlich-schändlicheren Skandal zu, der Amerika schon erschüttert hatte, bevor Melissa ihre Tanzschuhe anzog: dem des ehemaligen Football-Spielers, den man mit einer Mieze *in flagranti* erwischt hatte. *The Globe*, eine der größten Zierden der Skandalpresse, hatte einer begierigen Öffentlichkeit nicht nur Fotos, sondern sogar ein Wortprotokoll von ihrem Stelldichein geliefert, und das habe ich, wie ich zugebe, mit großer Neugier gelesen.

Er: »Wenn mir eine wie du begegnet, ist das ganz schön aufregend. Das passiert mir nicht einfach so. Ich bin... ich bin einfach weg von dir. Du gibst mir so ein tolles Gefühl.«

Sie: »Mm, aah, du machst das so gut. Ich bin ganz weg von dir. Oh, Frank, das ist ja unglaublich, was machst du bloß mit mir? Oh, ich fass es nicht. Das ist ja so toll. Ah, du bist echt klasse.«

Vom Inhalt abgesehen, fällt einem hier die jämmerliche Einfallslosigkeit der Sprache auf, als hätten die beiden so viele Seifenopern und Kitschfilme gesehen, daß sie Opfer der Sprachfresser wurden. Gut, gut, Frank hat im Lauf der Jahre sicher mehr Schläge auf den Kopf bekommen, als gesund für ihn war, aber selbst ein Hirnverletzter hätte ein so offensichtlich abgekartetes Spiel durchschaut. Schließlich wurde das Treffen gefilmt und auf Tonband mitgeschnitten.

Ab welchem Punkt wird die Banalität einer Kultur so übermächtig, daß den Leuten die Fähigkeit verlorengeht, sich anders als in Klischees oder Schlagworten auszudrücken? Ihre Ausdrucksweise ist die einer Barbara Cartland an einem guten Tag, eines D. H. Lawrence an einem schlechten; selbst im Sturm der Leidenschaft – besonders im Sturm der Leidenschaft – können Menschen einfach nicht so etwas zueinander sagen. Die Linguisten streiten darüber, ob wir Sprache haben, weil wir Menschen sind, oder ob wir Menschen sind, weil wir Sprache haben. So oder so, wer diesen Dialog liest, ist versucht, sich um Mitgliedschaft bei einer anderen Spezies zu bewerben.

Der Drang

Sie glauben, es gäbe vielleicht einen Ort, wohin sie gehen, all die vergeudeten Stunden, die wir mit sinnlosen Debatten und Gesprächen vertan haben? Sie halten es für möglich, daß es so eine Art kosmisches Depot gibt, wo sie sich alle zusammendrängen, erschöpft von ihrer schweren, unnützen Arbeit, diese Stunden, die wir über Religion oder Politik oder irgendeines jener gesellschaftlichen Themen geredet haben, zu denen inzwischen jeder eine unverrückbare Meinung hat? Ich bin überzeugt, daß jeder von uns sich schon einmal geschworen hat, sich nie – NIE – wieder auf eine Debatte über Abtreibung oder den Papst oder Astrologie einzulassen. Aber wir tun es dann doch, oder? Bestimmt hat jeder von uns seine Reizthemen, die ihn immer wieder in sinnlose Debatten hineinlocken, aus denen wir nur mit Herzklopfen wieder herauskommen, erstaunt darüber, wie dumm doch andere Leute sein können.

Im Lauf der Jahre habe ich mir geschworen, nie

mehr über Religion zu sprechen, jedenfalls nicht mit Leuten, die eine haben, das Thema Abtreibung um jeden Preis zu meiden und den Raum zu verlassen, in dem über Pädophilie diskutiert wird.

Aber sie pirschen sich an uns heran, diese Themen, stehlen sich ins Wohnzimmer von Freunden, werden sogar ins Restaurant eingeladen. Vor ein paar Wochen war ich gerade damit beschäftigt, mir die erste *frittella* der Karnevalssaison einzuverleiben, und ließ mich einen Moment lang von dieser Explosion aus Sahne, Rosinen, Pastetenteig und Zucker ablenken, da hatte sich, bevor ich mich's versah, die Pädophilie hereingeschlichen, sich einen Stuhl herangezogen und die Hand nach dem Gebäck ausgestreckt. So kam es mir jedenfalls vor. Wir hatten uns zu dritt über die allgemeine Tendenz des italienischen Rechtssystems unterhalten, dem Plädoyer auf Unzurechnungsfähigkeit stattzugeben, allerdings in einer speziell italienischen Variante: dem Plädoyer auf zeitweilige Unzurechnungsfähigkeit – daß einer für die Zeit, die er braucht, um irgend etwas zu tun – die Eltern zu ermorden, ein Theater voller Menschen anzuzünden, ein Mädchen zu vergewaltigen und zu erdrosseln – in einer irgendwie anderen Geistesverfassung gewesen und darum für sein Tun nicht voll verantwortlich zu machen sein kann.

196

Gerade wollte ich über diesen blühenden Unsinn zu lachen anfangen, als einer am Tisch sagte: »Aber bei Pädophilen ist es wirklich so. Sie werden von einem unwiderstehlichen Drang erfaßt.«

Ich legte mit einer, wie ich fand, durchaus geziemenden Bewegung mein angebissenes Gebäck, das plötzlich nach nichts mehr schmeckte, auf den Teller zurück und sagte: »Dann können wir die Unterhaltung eigentlich gleich beenden und nach Hause gehen.«

Allgemeines Befremden, bis ich erklärte, daß für meine Begriffe immer dann, wenn der Ausdruck »unwiderstehlicher Drang« ins Spiel komme, alle ebensogut aufstehen und gehen könnten, weil wir uns sowieso nie auf etwas einigen würden.

Ich meinte das ernst und wollte wirklich gehen, denn wer nicht an einen unwiderstehlichen Drang glaubt, sollte sich jede Debatte mit denen, die daran glauben, lieber schenken und in der Zeit vielleicht stricken lernen. Dann hätte man für die aufgewendete Energie wenigstens einen Schal oder Pullover vorzuweisen und nicht nur diese mulmigen Gewissensbisse, die daher rühren, daß man sich wieder einmal hat verführen lassen, Stunden seines Lebens – und manchmal eine Freundschaft – wegzuwerfen.

Wir haben es alle tausendmal gehört: »Er wur-

de von einem unwiderstehlichen Drang gepackt.«
– »Er (es ist immer ein ›Er‹, nicht wahr?) wußte
nicht, was er tat.« – »Er kam nicht dagegen an.«
Am häufigsten muß für dieses Argument die hy-
pothetische Situation herhalten, daß ein Mann bei
einer oberflächlichen erotischen Tändelei mit einer
Frau plötzlich von ihr ein »Nein« hört. Das heißt,
er möchte weiter gehen, sie aber nicht. Und nun
marschiert in der Argumentation der unwiderstehliche Drang auf, denn was soll der Junge da machen? Selbst wenn sie nein sagt, er ist jetzt an einem Punkt angelangt, an dem – Sie verstehen – er
nicht mehr dagegen ankommt. Unwiderstehlich,
verstanden?

Immer wenn dieses abgedroschene Beispiel aus
der Mottenkiste schlampiger Argumentation her-
vorgezogen wird, frage ich, was er denn wohl täte,
wenn die Frau statt »nein« sagen würde: »Ich habe
Aids«? Wäre der Drang dann immer noch unwiderstehlich?

Ein interessantes Element in diesem Glauben
ist auch das Objekt der Begierde. Nach allem, was
ich im Laufe der vergangenen Jahrzehnte gehört
habe, will mir scheinen, daß der unwiderstehliche
Drang des Mannes unabänderlich auf irgendeine
Art von Verletzung oder Schmerz hinausläuft, und
zwar im allgemeinen für jemand andern: Vergewal-

tigung, Mord, Körperverletzung. Der unwiderstehliche Drang der Frau ist hingegen meist eßbar: Schokolade, Eis oder ein Nachschlag zum Dessert. Ganz große Sünderinnen wechseln vielleicht die Haarfarbe oder kaufen sich eine Gucci-Tasche. Aber gewöhnlich hinterlassen sie keine Spur von Blut und Tränen.

Am Ende bleiben nur Fragen. Warum gesteht die Gesellschaft nur Männern den Luxus unwiderstehlicher gewalttätiger Triebe zu? Warum haben Frauen sie nicht auch, oder wenn sie welche haben, warum können sie ihnen offenbar so leicht widerstehen? Und, um wieder zur Eingangsfrage zurückzukommen: Wohin gehen die Stunden, die wir mit Gesprächen über diese Dinge vertun?

Pornographie

Ich muß gestehen, daß ich, wie viele Frauen, mit Pornographie nichts anfangen kann. Das heißt, der Gedanke daran ist für mich in keiner Weise erregend, weder sexuell noch intellektuell. Zweifellos liegt das ebensosehr daran, daß ich im Amerika der fünfziger Jahre aufgewachsen bin, wie an irgendwelchen edlen Grundsätzen meinerseits. Wer kann sich schließlich Mamie Eisenhower beim Betrachten unanständiger Bilder vorstellen? Ich habe nie einen Pornofilm gesehen – außer Terminator 1 – und mir nie die Fotos in einer der berühmten Zeitschriften angesehen – oder die Artikel dazu gelesen. Ich kann nicht wirklich sagen, daß ich Pornographie mißbillige: Meine Unwissenheit schließt das Recht auf eine Meinung aus.

Einmal allerdings mußte ich im Zusammenhang mit Nachforschungen für ein anderes Projekt etwas Derartiges lesen, und so las ich denn, man höre und staune, chinesische Pornographie aus dem 18. und 19. Jahrhundert. Nun, man würde doch denken, wir seien alle gleich, uns allen dienten die gleichen Dinge als sexuelle Stimulatoren, also könnte es so eine Art kulturübergreifenden Schatz an erotischen Teilen oder Handlungen geben, nicht wahr? Dem ist nicht so.

Nach allem, was ich an chinesischer Pornographie und über sie las, ist das erotische Objekt Nr. 1 für chinesische Männer (wer schreibt denn schon über die erotischen Objekte der Frauen?) – ja, erraten! – das winzige Füßchen, dieses verstümmelte, stinkende, zusammengeschnürte Anhängsel, Idealgröße 8 cm, und ohne das brauchst du gar nicht erst ans Heiraten zu denken, mein Kind. Gewöhnlich waren es die Mütter oder Tanten, die das den kleinen Mädchen antaten, wenn sie drei Jahre alt waren: Die Zehen wurden unter die Fußsohlen gebogen und mit eigens dafür angefertigten Verbänden festgebunden, die man nur zum Wechseln abnahm, vielleicht um Eiter oder Blut herauszuwaschen und sie dann sofort durch neue zu ersetzen. Sich die Schmerzen auszumalen, bedarf es keiner weiteren Erklärung und schon gar keiner Phantasie. Sie dauerten ein Leben lang.

Die Ergüsse der Männer in Betrachtung dieser faulenden Knospen, die zum Epizentrum erotischen Fetischismus wurden, stehen den verschleierten Exzessen des *Roman de la Rose* kaum nach, auch wenn ihnen die Eleganz dieses Versepos fehlt. Hören Sie mal zu: »Immer wenn ich ein Mädchen die Schmerzen des Füßebindens erleiden sehe, denke ich an die Zukunft, wenn die Lotusblüten auf meinen Schultern ruhen oder ich sie in den Händen halte und mein Begehren überströmt und unbeherrschbar wird.« Was das heißt, wissen wir doch alle, nicht wahr, Mädels? Oder dieses kleine Juwel: »O kleines Füßchen! Ihr Europäer könnt nicht verstehen, wie erlesen, wie süß, wie erregend es ist! Die Berührung der Genitalien mit dem kleinen Fuß ruft im Mann einen unbeschreiblichen Grad der Wollust hervor, und liebeserfahrene Frauen wissen, daß es unter allen chinesischen Aphrodisiaka kaum eine bessere Methode gibt, um die Glut ihres Liebhabers zu schüren, als seinen Penis zwischen ihre Füße zu nehmen.« Hält Ihr Magen noch eine Kostprobe aus? Bitte sehr: »Je kleiner der Fuß der Frau, desto wunderbarer die Falten ihrer Vagina.«

Engagiertere Feministinnen als ich haben argumentiert, daß Pornographie die Frauen erniedrigt, weil ihr eigentlicher *Zweck* die Erniedrigung von Frauen ist, auf der nur allzu bekannten Grundlage körperlichen Leidens. Wenn man all diesen chinesischen Schund liest, merkt man, daß die Texte in Wirklichkeit Betrachtungen über die Hilflosigkeit der Frauen sind, eine Hilflosigkeit, die sie voll und ganz der männlichen Begierde ausliefert. Die Chinesen gelten als schlau, und hier sind sie es gewiß, denn sie haben aufgeräumt mit den häßlichen klirrenden Ketten und Handschellen, den Knoten und Schnüren. Nicht nötig, die Frau ans Bett zu ketten, wenn sie nicht laufen kann.

Ich möchte gern glauben, daß heutzutage die meisten Menschen, gleich, welchen Geschlechts, das alles ziemlich abscheulich finden, weshalb mich ebenso wie die eigentlichen chinesischen Texte die Art und Weise erschüttert, wie westliche Gelehrte sich bis weit in unser Jahrhundert hinein über die Sitte ausgelassen haben. In *The Sex Life of the Foot and Shoe* von 1976 kann man lesen: »Die Chinesen betrachteten den gebundenen Fuß als den erotischsten und begehrenswertesten Teil der gesamten weiblichen Anatomie.« Man beachte den niedlichen Gebrauch des Gattungsbegriffs »Chinesen«. Ich möchte gern die Chinesin kennenlernen, die gebundene Füße erotisch fand. Das Buch erwähnt auch die »Unannehmlichkeit, gegen die das heranwachsende Mädchen eine gewisse Immunität entwickelte«. »Unannehmlichkeit«, um Gottes willen! Und woher will er das überhaupt wissen? Wurden ihm die Füße gebunden? Ein anderer Gelehrter vertrat die Meinung, das Füßebinden nehme den Frauen »das Interesse an Tanz, Fechten und anderen beliebten körperlichen Betätigungen«. Klar, zum Beispiel am aufrechten Stehen, Gehen und Laufen. Einer beklagte, daß das Füßebinden der »schönen und alten Kunst des chinesischen Tanzes« ein Ende gemacht habe. Muß man noch darauf hinweisen, daß es auch der noch älteren Kunst chinesischen Zufußgehens ein Ende machte?

Ich überlasse Ihnen die Entscheidung darüber, was schrecklicher ist. Ist es schlimmer, jungen Mädchen so etwas anzutun oder den Brauch als unbedeutend abzutun, da es ja sowieso egal ist, was Frauen widerfährt? Letzten Endes ist der Unterschied wohl ziemlich gering.

Bevor ich mich für das eine oder andere aussprechen müßte, ich glaube, ich würde mir lieber *Deep Throat* ansehen gehen.

Bewaffnet

Es war in einer Unterrichtsstunde mit jungen amerikanischen Studenten, als ich zum erstenmal von dem Unglück hörte, bei dem in den italienischen Alpen mehr als zwanzig Menschen mit einer Seilbahngondel in den Tod stürzten. Während einer der Studenten erklärte, man vermute als Ursache den leichtsinnigen Tiefflug eines amerikanischen Piloten, und andere hin und her überlegten, wie das passiert sein könnte, sagte eine junge Studentin mit unendlich müder Stimme: »Wieder so ein Pimmelkram.« Mich überraschte ihre vulgäre Ausdrucksweise, aber eine zutreffendere Erklärung habe ich in allem, was ich seither über dieses Unglück gelesen und gehört habe, nicht gefunden. Es ist Pimmelkram: Junge Männer, berauscht vom Testosteron und dem Machtgefühl, das zweifellos aufkommt, wenn man mit Überschallgeschwindigkeit in diesen todbringenden kleinen Kapseln herumfliegt, hatten offenbar alle Sicherheitsvorschriften und jeden gesunden Menschenverstand über Bord geworfen und einander darin zu übertrumpfen versucht, wie tief sie fliegen konnten. Mochten diese Piloten und Navigatoren ihre Männlichkeitsrituale auch noch so genossen haben, leider mußten an die zwei Dutzend Menschen diesen Spaß mit ihrem Leben bezahlen.

Als ich vor zwanzig Jahren im Iran arbeitete, waren meine Tennispartner lauter Männer, und die meisten von ihnen waren Kampfflieger in Vietnam gewesen. Ich erinnere mich noch an den Tag, als ich sie in den Spielpausen bei Smalltalk und Eistee auf einmal in Erinnerungen schwelgen und erzählen hörte, wie sehr sie die Kampffliegerei vermißten, wie herrlich und aufregend es gewesen sei, frühmorgens mit knatternden Bordkanonen herabzuschießen und Napalm auf die schlafenden Dörfer zu werfen, dann eine Kehre zu fliegen und die flüchtenden Dorfbewohner niederzumähen. Einer behauptete, das sei besser als Sex, besser als alles davor und danach in seinem Leben. Allen fehlte das, weil es so ein *Spaß* gewesen war. Und wohlgemerkt, das waren dieselben Männer, die gegen mich mit halber Kraft aufschlugen, die als meine Doppelpartner stets bereitwillig mehr als ihre Platzhälfte abdeckten und zu denen ich eine echte Zuneigung gefaßt hatte. Aber von jenem Tag an waren sie für mich nicht mehr dieselben.

Seit einigen Jahren lehre ich im Umfeld der amerikanischen Streitkräfte, und meine Studenten haben mir oft ähnliche Geschichten erzählt: was für ein Riesenspaß es ist, aus dem Himmel herunterzuschießen und die dummen Zivilisten am Strand zu erschrecken, welch herrliches Gefühl der Macht es einem gibt zu wissen, daß man Herr über Leben und Tod der Menschen da unten ist. So wußte ich gleich, als das Militär die ersten Dementis veröffentlichte und von schlechten Karten oder widersprüchlichen Befehlen sprach, daß die Vertuschung begonnen hatte. Schließlich waren die Beweise zu eindeutig, und man erfuhr, was es gewesen war: nette große Jungen, die auf Unfug aus sind, zu schnell fliegen und sich einen Riesenspaß machen. Pimmelkram.

Dann zünden die Inder ihre Bombe, und CNN zeigt uns die Massen auf den Straßen, wie sie jubeln und brüllen und sich ein Loch in den Bauch freuen, daß Indien nun diese tolle neue Bombe hat, Shiwa, den Todbringer im eigenen Hinterhof. Viele der Interviewten – lauter Männer, wie ich hinzufügen darf – schwadronieren, wie stolz und mächtig sie sich nun vorkämen, weil Indien endlich eine Atommacht geworden sei, die man zu respektieren habe. Pimmelkram.

Nicht viel anders verhält es sich mit dem Liebesverhältnis des amerikanischen Mannes zu seinem Gewehr. Bodybuilding, Religion und Waffen sind die drei Themen, über die ich mich mit meinen Studenten zu sprechen weigere, weil es genau die drei Themen sind, bei denen sie sich augenblicklich in die höchsten Höhen der Irrationalität aufschwingen. Ihre schlechte Allgemeinbildung wie auch ihre historische Unbedarftheit läßt sie die Verfassung fehldeuten und steif und fest behaupten, dieses Schriftstück gebe ihnen das Recht, eine Waffe bei sich zu Hause zu haben; so viele Waffen sogar, wie sie wollen. Mit ihnen zu debattieren ist ein Flirt mit dem Irrsinn; ihnen zuzuhören heißt, ihm wie sie zu verfallen.

Mir erscheint das alles ganz einfach: Wenn dieser kleine Westentaschenpenis die einzige wirkliche Macht ist, die ein Mann im Leben je haben wird, dann muß es Spaß machen, ihn zu benutzen, und er wird ihn sich nie wegnehmen lassen. Es ist nämlich gar nicht die tödliche Waffe, die sie sehen, wenn sie das Schießeisen in die Hand nehmen oder das Flugzeug fliegen oder halb Rajasthan in die Luft sprengen: Es ist Macht. Pimmelkram.

Ein triviales Sexspielchen

Frage: Wie oft im Jahr sind Titten und Ärsche auf der Titelseite von *Panorama* und *Espresso* zu sehen?

Antwort: Dreiundfünfzigmal.

Nachdem ich Italien seit dreißig Jahren regelmäßig besuche und seit siebzehn Jahren hier lebe, habe ich für die Titelblätter dieser beiden Zeitschriften wahrscheinlich die visuelle Entsprechung von Gefühllosigkeit entwickelt. Woche für Woche sind sie an den Kiosken: Titten auf der einen, Arsch auf der anderen, oder beides auf beiden, offenbar immer proportional zum Mangel an echten Neuigkeiten in der jeweiligen Woche. Hin und wieder glaubt man so etwas Ähnliches wie einen sinnvollen Bezug zu entdecken, wenn sie zum Beispiel einen Artikel über Geschlechtskrankheiten oder Pornographie bringen, aber normalerweise ist es so, daß zu einem Artikel über zu häufige Arztbesuche ein Titelfoto erscheint, das – Sie haben es erraten – die Sächelchen zeigt, die bei der Mammographie untersucht werden. Ich nehme an, Zeitschriften mit Lungen auf dem Titelblatt verkaufen sich nicht besonders gut. Und ich kenne auch niemanden, der sich an Nieren begeistern würde.

Beunruhigender als die Cover ist jedenfalls für jeden, der hier lebt, der Inhalt der Artikel und was sie darüber aussagen, wie die Leute über die Geschlechterrollen denken oder zumindest schreiben. Im *Espresso* vom 6. März 1997, den ich erst heute in die Hand bekam, geht es in einem Artikel um die Fälle von sexuellem Mißbrauch weiblicher Soldaten durch ihre männlichen Vorgesetzten, mit denen das Pentagon sich in letzter Zeit zu befassen hat.

Die Autorin (jawohl, eine Frau, behalten Sie das im Gedächtnis) schreibt, angesichts der sexuellen Gewalt, der weibliche Angehörige des us-Militärs schon ausgesetzt waren, sei der Skandal von Tailhook, bei dem Rekrutinnen gezwungen wurden, nackt zwischen zwei Reihen männlicher Kadetten mit »*gli attributi in erezione*« hindurchzulaufen, nur »*un trivialissimo gioco erotico*«.

Altmodisch, wie ich bin, habe ich immer gedacht, ein Spiel wäre etwas zwischen zweien und es sei deshalb ein Spiel, weil es sich um gleichberechtigte Partner handelt. Sportliche Spiele, erotische Spiele – es ist kaum ein Unterschied; man braucht zwei Spieler, und beide haben die gleiche Chance auf Sieg oder Spaß, sonst ist es kein Spiel. Im oben zitierten Satz verstehe ich deshalb kein Wort, denn es ist nicht trivial, es ist kein Spiel, und erotisch war es ganz bestimmt nicht, jedenfalls nicht für die beteiligten Frauen.

Und das macht das Leben hier so ungewöhnlich, denn wir Frauen bewegen uns in einer fast ausschließlich männlich bestimmten Gesellschaft, im Sinne dessen, was sie sieht und kauft, vor allem aber wie sie darüber denkt.

Im selben Artikel bezeichnet die Journalistin die verschiedenen Handlungen männlicher Vorgesetzter, darunter Vergewaltigung, Sodomie und Darmentleerung auf eine in der Toilette angebundene Frau als *»assai poco da gentiluomini«* – nicht gerade gentlemanlike. Also, vielen Dank für diese Aufklärung. Mir sträubt sich die Phantasie bei der Frage, was einer noch machen müßte, damit diese Frau es schlechtes Benehmen nennt. Sie schließt den Artikel mit dem Hinweis, das Pentagon habe eine gebührenfreie Nummer eingerichtet, unter der Frauen, die sexueller Gewalt ausgesetzt waren, ihre *»lamentele«* loswerden könnten, ein Wort, mit dem man etwa die Unmutsäußerung eines Menschen bezeichnen würde, der eine Glühbirne gekauft hat, die nicht funktioniert.

Italiener sagen oft: »Um meine Feinde kümmere ich mich selbst, der Herr schütze mich vor meinen Freunden«, und genau das ist meine Antwort auf einen derart erbärmlichen Artikel, einen – heiliger Bimbam – von einer Frau geschriebenen Artikel, in dem sexuelle Gewalt als einer dieser Streiche abgehandelt wird, die sich die Jungs ausdenken, wenn man kein Auge auf sie hat. Nichts weiter dabei, Mädels; nur ein triviales Sexspielchen.

Wenn ich es wagte, solche Einwände gegen die nachsichtige Einstellung zu sexueller Gewalt zu erheben, warfen mir meine italienischen Freunde vor, ich sei »*una puritana*«, eine Antwort, die mich zuerst schockierte, inzwischen aber ärgert. Eigentlich sei doch jede Art sexueller Aufmerksamkeit von seiten eines Mannes – erwünscht, unerwünscht, entlockt, provoziert oder mit einem Messer an der Kehle – das höchste Kompliment, das man sich als Frau nur wünschen könne. Und wer dies in Frage stelle, verrate ein tiefsitzendes sexuelles Trauma oder ziehe sogar die etablierte Ordnung in Zweifel. Kein Wunder, daß so viele Männer gern glauben möchten, Frauen hätten Vergewaltigungsphantasien.

Und vielleicht ist das der Grund für mein Unbehagen nach der Lektüre eines solchen Artikels, der Absatz für Absatz in derart herablassendem Ton über die sexuelle Gleichberechtigung der Frauen hinweggeht – daß dies die etablierte Ordnung *ist*. Menschen beginnen nicht mit Taten, sondern mit Worten, Worten wie diesen. Und Worte spiegeln eine vorherrschende Einstellung wider. Wen man »*nigger*« nennen darf, den lyncht man um so leichter. Und wenn es nur »*un trivialissimo gioco erotico*« ist, darf man die Frau getrost vergewaltigen. Dieser Artikel stand in einer der wichtigsten Informationsquellen des Landes, und ich bin sicher, er wird unbemerkt und unwidersprochen bleiben. Das macht mir angst.

Ich will Rache!

Ich hätte gern, wie die us-Marines, eine Handvoll gute Männer. Und wie die Marines hätte
ich sie gern stark und jung und heimtückisch wie
Schlangen, und ich möchte, daß sie in ein fremdes
Land gehen und töten, töten, töten. Anders als die
Marines bin ich weder an Politik interessiert noch an
der Durchsetzung amerikanischen Einflusses durch
Waffengewalt. Nichts da. Meine Ziele sind viel be-
grenzter; man könnte sie sogar biblisch nennen,
denn ich will nichts weiter als Rache, und die will
ich jetzt.

Kürzlich erschien in einer italienischen Frauen-
zeitschrift ein Artikel mit dem Titel: *In Bangladesh,
dove le donne bruciano,* und es wurde darin von
einem neuartigen Verbrechen berichtet, das offenbar
zur Zeit in Bangladesh große Mode ist: Man schleu-
dert Frauen, die sich den Aufmerksamkeiten von
Männern verweigern, Schwefelsäure ins Gesicht.
Dem Artikel waren herzzerreißend grausige Fotos
von jungen Frauen beigegeben, denen man das an-

getan hatte. Sie blickten in die Kamera, diese jungen Frauen, und aus ihren zu Lava erstarrten Gesichtern sprachen mandelförmige Augen von der Schönheit, die da einmal gewesen sein muß. (Ich will mich nicht darüber verbreiten, daß all die fotografierten Frauen offenbar schön gewesen waren, obwohl ich mich schon fragte, warum es keine Fotos von reizlosen oder unattraktiven Frauen gab, mit denen man das gemacht hatte.)

In dem Artikel wird erklärt, daß über diese Art Verbrechen zuerst in den achtziger Jahren berichtet wurde und es sich seitdem unter den Männern in Bangladesh so weit verbreitet hat, daß der Polizei 1997 nicht weniger als 177 Fälle gemeldet wurden; es wird angenommen, daß die Dunkelziffer ebenso hoch ist, wenn nicht höher. (Machen Sie sich einmal kurz Gedanken über eine Gesellschaft, in der es möglich ist, daß so etwas nicht gemeldet wird.)

1995 wurde ein Gesetz verabschiedet, wonach Männer, die dieses Verbrechens überführt werden, zu lebenslänglich oder sogar zum Tode zu verurteilen sind. Sind Sie vorbereitet auf die große Überraschung? Bisher wurde noch niemand verurteilt, obwohl schon etliche Säurewerfer identifiziert und angezeigt wurden. »Sie bezahlen, sie bestechen die Richter und die Polizei«, erklärt eines der Opfer.

Drei von denen, die gefaßt wurden, haben beim Obersten Gerichtshof Berufung eingelegt, und ihre Opfer sind sicher, daß sie freigelassen werden.

Und darum hätte ich gern ein paar gute Männer. Marines. Die bereit sind, hinzugehen und diese Saukerle zu erschießen oder, besser noch, ihnen ein bißchen Säure ins Gesicht zu spritzen. Sie brauchen mir gar nicht erst zu sagen, daß dies eine irrationale Reaktion ist und nichts Gutes daraus erwachsen kann. Das weiß ich selbst. Und versuchen Sie mir nicht auseinanderzusetzen, daß Gewalt nicht mit Gewalt zu beseitigen ist. Auch das weiß ich selbst. Ich habe mit Vernunft nichts mehr am Hut, und ich habe mit dem Gesetz nichts mehr am Hut, schon gar nicht in Ländern, in denen das Gesetz offenbar dem Meistbietenden gehört.

Die Gesetze werden sich wohl nicht ändern, und selbst wenn, dann werden sie nicht durchgesetzt. Die Opfer sind ja nur Frauen, nicht wahr, und darum ist es unwahrscheinlich, daß junge Männer in den Knast oder an den Galgen kommen, nur weil sie diese Mädchen ihres menschlichen Aussehens beraubt haben, ihrer Zukunft, aller Hoffnung auf normales menschliches Glück, überhaupt ein normales menschliches Leben. Meine Marines hinzuschicken oder vielleicht an Ort und Stelle ein paar Killer anzuheuern, die ein bißchen Terror machen, würde nicht wirklich etwas ändern oder irgend jemandem helfen. Aber denken Sie einmal kurz darüber nach. Sicher wäre es *gefühlsmäßig* richtig, oder nicht?

Entwicklungsmanager

Man ist doch nie vor Überraschungen gefeit, nicht wahr? Letzte Woche traf es mich beim Frühstück. Deutsche Freunde, sehr ehrenwerte Leute, hatten mich zu sich nach Hause eingeladen, um mich in ihren weiteren Bekanntenkreis einzuführen. Einer der Gäste war ein Schweizer mittleren Alters, der im asiatischen Raum tätig war, in Ländern wie Laos, Thailand und Myamar. Das ließ mich aufhorchen, und ich erkundigte mich interessiert nach seinem Arbeitsgebiet. »Ich bin Entwicklungsmanager«, lautete die Antwort.

Da ich mir darunter nichts Rechtes vorstellen konnte, bat ich um eine nähere Erklärung. Wie sich herausstellte, versuchte der Mann Thailand dabei zu helfen, seine Einkünfte aus dem Tourismus zu steigern und gleichzeitig den Besucheransturm zu drosseln. Was könnte für jemanden, der in Venedig lebt, verlockender sein als ein Rezept, die Touristenzahlen zu senken? Das war entschieden ein Mann nach meinem Geschmack!

Er wollte wissen, ob ich Thailand kenne, und ich erzählte ihm, ich sei schon dreimal dort gewesen. Eher scherzhaft setzte ich hinzu, beim letzten Mal sei es mir, als ich am Flughafen von Bangkok durch den Zoll ging, so vorgekommen, als gäbe es dort außer mir nur noch Sextouristen, weil nämlich zur gleichen Zeit wie meine Maschine drei Flugzeuge mit lauter japanischen Bauarbeitern an Bord gelandet waren.

»Furchtbar, furchtbar«, murmelte er mit angewiderter Miene. »Das ist die übelste Sorte Sextouristen.«

Daß es auch im Sextourismus ein Niveaugefälle gab, war mir neu. »Ich sehe da keinen Unterschied«, sagte ich. »Ob einer nun tausend Dollar für sein Flugticket zahlt oder ein anderer nur dreihundert – beiden geht es darum, ein zehnjähriges Mädchen ins Bett zu kriegen.«

Er reagierte abermals mit lebhaftem Abscheu. »Nein, Kindersex ist furchtbar, grauenhaft, entsetzlich. Damit wollen wir nichts zu tun haben. Und wir wollen auch nicht, daß diese Touristenbomber voll armer Schlucker ins Land kommen.«

»Was wollen Sie dann?« fragte ich und vergaß, meinen Kaffee zu trinken.

»Wir bauen Luxushotels im Norden, damit eine bessere« – gemeint war wohl eine »betuchtere« –

»Klientel nach Thailand kommt. Das ist wesentlich zuträglicher für das Land und seine Ökologie.«

Ich sah mich um, neugierig, ob sonst noch jemand unserem Gespräch folgte, aber alle anderen diskutierten ausschließlich über Musik. Während mein Gegenüber fortfuhr, mir seine großen Pläne für neue und exklusivere Hotels darzulegen, wurde mir klar, daß ich nur zwei Möglichkeiten hatte: Entweder ich stand auf und holte mir noch einen Kaffee, oder ich müßte ihm die Gabel ins Auge stechen. Aber da ich hier zu Gast war, galt es, die Höflichkeitsregeln zu wahren; also entschuldigte ich mich, ging zur Kaffeemaschine und leistete, als ich zurückkam, meinen laienhaften Beitrag zur Musikdebatte. Ich blieb gefaßt und verkniff mir die Frage, ob man – angesichts der Finanznöte des Musikfestivals, an dem wir alle teilnahmen – nicht die auswärtigen Solistinnen ermuntern solle, sich zum Wohl der Festspielkasse zu prostituieren. Oder vielleicht setzten wir, um den Tourismus einzudämmen, statt ihrer lieber auf die Chorknaben und erhöhten einfach die Eintrittspreise? Mein Tischnachbar plauderte unbefangen weiter, bis es Zeit zum Aufbruch wurde, und merkte überhaupt nicht, wie sehr mich die jesuitische Spitzfindigkeit empörte, mit der er sein Unrecht wegrationalisierte. In gewisser Weise war sein moralischer Autismus noch schlimmer als seine ohnehin schon verwerflichen Aktivitäten. Er erzählte mir von seinem Engagement für den Umweltschutz in Thailand und davon, wie er aus Liebe zu seiner Wahlheimat ein ganzes Wochenende geopfert habe, um die Strände einer der kleineren Inseln zu säubern. Gab es einen besseren Beweis für die Liebe zu einem Land, das nicht das eigene war, ein Land, bevölkert von kleinen, dunkelhäutigen Menschen?

Ich bin sicher, dieser Herr betrachtet sich als Umweltschützer, und bestimmt hält er sich auch für einen Freund Thailands. Doch ich bin Amerikanerin, und wir sprechen eine deutlichere Sprache. Männer wie er würden bei uns nicht Entwicklungsmanager heißen. Wir nennen sie schlicht Zuhälter.

Saudi-Arabien

Es ist fünfundzwanzig Jahre her, seit ich dort gearbeitet habe, aber beim Thema Saudi-Arabien sehe ich immer noch rot. Schon die bloße Namensnennung ruft die schlimmsten Seiten meines Charakters auf den Plan, und ich werde rachsüchtig, gehässig und aggressiv. Während des 1. Golfkriegs ertappte ich mich bei dem Wunsch, die von Militärsatelliten navigierten amerikanischen Flugzeuge mögen ihre Route um ein paar kümmerliche Grade verfehlen und ihre Bombenteppiche genau über der Hauptverkehrsader von Riad abwerfen, ach, was sage ich: direkt in den Salon des Königspalasts. Jedesmal, wenn ich von gewaltsamen Ausschreitungen in Saudi-Arabien höre, ist das für mich ein Anlaß zum Jubeln, egal, ob nun die Bullen die Bösen abknallen oder umgekehrt. Und meine Kommentare zu jenen Ausbrüchen von Massenhysterie bei der alljährlichen Hadsch, der moslemischen Wallfahrt nach Mekka, wo immer wieder zahlreiche Pilger von enthemmten Menschenmassen zu Tode getrampelt werden, die erspare ich Ihnen lieber gleich.

Nicht ganz neun Monate in dem Königreich, dem ich diesen Titel niemals zubilligen würde, reichten aus, um eine im allgemeinen gutartige und ausgeglichene Frau in eine haßerfüllte Furie zu verwandeln. Zwar fällt es nach all den Jahren schwer, zwischen aufgebauschtem Lamento und echt nachwirkender Bitterkeit zu trennen, aber die Zeit, die ich als Dozentin an der King-Saud-Universität in Riad verbrachte, war mit Sicherheit die schlimmste meines Lebens.

Es war der schnöde Mammon, der mich nach Saudi-Arabien lockte, die Aussicht, eine Menge Geld zu verdienen. Ich hatte gerade ein Jahr in China verbracht, wo die Überzeugung, ein Westler dürfe von diesem Land kein Geld nehmen, mich dazu nötigte, mein Gehalt Monat um Monat für die Bewirtung meiner Freunde auszugeben oder für endlose Meter Seidenstoff, die ich nach Italien schickte, wobei es mir nicht so sehr auf die gekaufte Ware ankam als darauf, unbedingt mein ganzes Geld vor Ort zu investieren. Als ich China verließ, war ich pleite und brauchte dringend einen neuen Job.

Kaum daß ich die Ausschreibung einer Dozentenstelle an der Universität Riad sah, wußte ich, daß ich besser die Finger davon lassen sollte: Freunde von mir oder wiederum deren Freunde hatten dort gearbeitet und mich reichlich mit abschreckenden Geschichten versorgt. Aber da ich ziemlich unter Druck stand, ließ ich mich von der Erinnerung an vier schöne Jahre im Iran einlullen, reichte meine Bewerbung ein und wurde nach einem kurzen Vorstellungsgespräch als Dozentin für englische Sprache und Literatur engagiert. Wie sehr, fragte ich mich mit gespielter Naivität, wie sehr kann ein muslimisches Land sich schon vom anderen unterscheiden?

Wenn ich mich recht entsinne, flog ich über Paris, wo ich zusammen mit einem Schwarm von Araberinnen an Bord ging, die Jeans trugen, zumeist auffällig geschminkt waren und ihre Pullis oder Blusen offenbar eine Nummer zu klein gekauft hatten. Vielleicht waren sie mit den europäischen Kleidergrößen nicht klargekommen?

Bei der Landung in Riad waren diese Frauen auf einmal verschwunden, und an ihrer Stelle schwebten vertikale schwarze Wolken über zierlichen Füßchen einher; was, da wir uns in einem muslimischen Land befanden, wohl schwerlich das Werk christlicher Verzückung sein konnte. Vielmehr hatten sie sich ganz bewußt in diese schmalen, schwarz verhüllten und verschleierten geschlechtslosen Wesen verwandelt: Die wallenden Mähnen, der knallrote

Lippenstift, die zu engen Jeans und Pullis, alles war mit einem Schlag verschwunden.

Nach Zoll und Paßkontrolle – wobei der meine eingezogen wurde – brachte mich ein Wagen ins Universitätsviertel, wo ich eine Vierzimmerwohnung zugewiesen bekam, mein Zuhause für das kommende akademische Jahr.

Über die erste Woche an der Universität brauche ich nicht viele Worte zu verlieren, denn die Einführungen, die Übergabe des Stundenplans mit meinen Lehrveranstaltungen – all das verlief nach den üblichen Regeln. Aber was war mit meinem Paß? Er wurde zur »statistischen Auswertung« einbehalten.

In diese Einführungswoche fiel auch meine erste Begegnung mit der saudischen Männerwelt, und zwar als ich mit einer Kollegin (wir waren gehalten, uns niemals allein in die Stadt zu begeben) zum Lebensmitteleinkauf auf den Markt ging. Anfangs hielt ich die Typen nur für besonders tolpatschig: Sie mußten uns gesehen haben, also warum rempelten sie dauernd mit uns zusammen? Wie mein Vertrag es vorschrieb, trug ich einen bodenlangen Rock, die Ärmel reichten mir bis zu den Handgelenken, und ich konnte mir nicht vorstellen, daß eine derart vermummte Erscheinung auch nur im mindesten aufreizend wirkte. Aber die fortgesetzte

»Ungeschicklichkeit« der männlichen Passanten ließ kaum einen anderen Schluß zu.

Im Laufe der Wochen verschärften sich ihre Aggressionen. Falls mein Körper davon Zeugnis ablegen könnte: Er wurde betatscht, bespuckt, von einem Motorroller angefahren, mit der flachen Hand geschlagen. Habe ich etwas vergessen? Ach ja, das Onanieren.

Ich frage mich, warum keine der Studien über Saudi-Arabien, die ich gelesen habe, dieses Übel aufgreift. Kaum zu glauben, daß es aufgehört hat, denn alle meine Kolleginnen aus dem Westen waren davon betroffen, und es kam so häufig vor, daß wir die Kunde von einem neuerlichen Opfer irgendwann nur noch mit resignierten Seufzern quittierten. Am schlimmsten war es in den öffentlichen Bussen. Für die Frauen ist dort der hintere Teil reserviert, über dem Motorblock (und das in einem Land, wo das Quecksilber im Sommer über 40 Grad erreicht). Es gibt einen separaten Eingang und zwei Sitzreihen in Fahrtrichtung, aber um den Fahrgästen den sündigen Anblick des jeweils anderen Geschlechts zu ersparen, ist zwischen den beiden Abteilen eine Trennwand aus Fasergips eingezogen. Mit einem senkrechten, etwa einen halben Zentimeter großen Spalt in der Mitte, so daß man auch vom hinteren Teil aus die Route verfolgen kann und die gewünschte Haltestelle nicht verpaßt. Wir Frauen waren genötigt, das Gesicht ganz nahe an den Spalt zu pressen, damit wir rechtzeitig vor unserer Station an der Strippe ziehen und dem Fahrer das Signal zum Halten geben konnten.

Nun sollte man annehmen, daß in so einem Bus auch die Sitze im Männerabteil (größer, mit Aircondition, nicht über dem Motorblock) alle in Fahrtrichtung weisen, nicht wahr? Weit gefehlt! Die vorletzte Reihe war nach hinten ausgerichtet und gewährte denen, die dort Platz nahmen, freien Blick auf dieses gerade mal einen halben Zentimeter große Guckloch zwischen ihnen und den Frauen. Gern würde ich behaupten, daß sich jedesmal, wenn ich mit dem Bus fuhr, ein Mann in genau diese Reihe setzte, die Hände in den Taschen seiner Dschelaba versenkte und sich einen runterholte, aber das wäre übertrieben. Es geschah jedoch so oft, daß ich erst aufhörte zu zählen und dann das Busfahren einstellte. Alle meine Kolleginnen, oder jedenfalls alle, die aus dem Westen stammten, haben wiederholt die gleiche Erfahrung gemacht. Ach ja, was für herrliche Strände, und die Einheimischen sind *so* zuvorkommend!

Nicht etwa, daß man im Taxi viel sicherer gewesen wäre; auch wenn von meinen Kolleginnen nur einer das Unglück widerfuhr, daß ein Fahrer sie über die Stadtgrenze chauffierte und am Straßenrand aussetzte. Offenbar nicht in der Absicht, ihr etwas zuleide zu tun, sondern nur, um sie zu demütigen und auf ihren Platz zu verweisen. Ich hatte diesbezüglich nie Probleme, aber ich habe auch nie allein ein Taxi genommen.

Keiner meiner Kolleginnen wurde ernsthaft körperlich Gewalt angetan: Tätliche Angriffe oder Vergewaltigungen erlitten allein die Frauen aus der dritten Welt. Man hat mir erzählt – und ich möchte betonen, daß dies nur Gerüchte waren, die sich allerdings hartnäckig behaupteten –, für weibliche Dienstboten, insbesondere die Filipinas, seien Vergewaltigungen nachgerade etwas Alltägliches. Die Polizei? Das soll wohl ein Witz sein, ihr Lieben? Wir westlichen Frauen waren immerhin durch unsere Pässe geschützt. Apropos: Wo war der meine abgeblieben? Etwa immer noch bei der statistischen Auswertung?

Während meiner Zeit in Riad bekam meine Kollegin Evelyn Besuch von einer ehemaligen Kursteilnehmerin. Das Mädchen, mittlerweile zweiundzwanzig und seit zwei Jahren Medizinstudentin, suchte Evelyn auf, bat, sie unter vier Augen sprechen zu dürfen, und schloß die Tür zu ihrem Büro.

Als die beiden Platz genommen hatten, wollte das Mädchen wissen, wie Frauen aus dem Westen schwanger würden. Wenn eine Medizinstudentin im zweiten Jahr solche Fragen stellte, warf das nicht gerade ein gutes Licht auf den Ausbildungsstand an ihrer Fakultät.

»Genauso wie die Frauen hier«, gab Evelyn zur Antwort. »Und darüber hat man dich doch aufgeklärt, oder?« Wer wußte schon, wie weit die Zensur in diesem Land reichte.

»Natürlich, darüber weiß ich Bescheid: Penis und Vagina«, entgegnete das Mädchen verächtlich. »Aber was machen die Westler, um schwanger zu werden?«

»Das gleiche wie die Saudis«, wiederholte meine Kollegin.

Es dauerte eine ganze Weile, bis das Mädchen sich überzeugen ließ, und schuld daran war, wie Evelyn durch vorsichtige Befragung herausfand, die umfangreiche Sammlung an Pornovideos ihres Bruders, auf die sie offenbar freien Zugriff hatte. In diesen Filmen diente der Geschlechtsakt niemals der Zeugung, weshalb das Mädchen, ganz im Sinne der klassischen Wissenschaftsmethode, beschloß, der Sache auf den Grund zu gehen: Und wer hätte besser über das Sexualverhalten der Westler Auskunft geben können als eine Westlerin?

Eine ähnlich skurrile Erfahrung machte mein Freund William, den es einige Jahre nach mir nach

Saudi-Arabien verschlug. Er wohnte und unterrichtete in Dscheddah und hatte einen reizenden kleinen jemenitischen Hausboy, der gern kochte, saubermachte und mit William Arabisch übte. Einmal, als mein Freund zu einer Ferienreise nach Europa aufbrach, fragte Ahmed, ob Mister William ihm wohl ein Geschenk aus der Fremde mitbringen würde. William versprach es, aber Ahmed ließ ihn erst schwören, ehe er mit seinem Wunsch herausrückte: Er wünschte sich als Mitbringsel eine Frau.

»Aber Ahmed«, wandte William ein, »ich kann dir doch keine Frau mitbringen.«

»Sie haben es aber doch versprochen.« Tief enttäuschte, gequälte Blicke.

»Nein, das geht wirklich nicht.«

»Geht wohl, Mister William. Bringen Ahmed so eine Frau«, erklärte der Boy, indem er die Faust an die Lippen führte und hineinpustete, als bliese er einen Luftballon auf. Oder eine Gummipuppe.

William sah sich im Geiste in einen Sexshop schleichen, sah sich die dort erstandene Gummifrau nach Dscheddah schmuggeln und errötete. Aber er willigte ein.

Ich erfuhr davon, als William auf dem Rückweg von London nach Dscheddah in Venedig Station machte. Auf meine Frage, ob er Ahmeds »Frau« gefunden habe, gestand er, im Schaufenster eines

Sexshops in Soho habe er tatsächlich eine solche Puppe entdeckt und auch gekauft. Ich bestürmte ihn so lange, sie mir zu zeigen, bis er sie peinlich verlegen aus dem Koffer zog.

Flach zusammengefaltet lag sie, etwa so groß wie die *New York Review of Books,* auf dem Boden und blickte uns aus kornblumenblauen Augen an. Ihre roten Lippen lächelten, das blonde Haar quoll ihr über die zusammengefalteten Schultern.

»Wir wollen sie richtig anschauen«, erklärte ich und machte mich unverzüglich daran, die Verpakkung aufzureißen, die Puppe aus ihrer Plastikhülle zu schälen und sie auszubreiten wie ein Tischtuch.

»Na, was ist?« fragte ich.

William blies sie auf. Sie hatte – hmmm –, sie hatte Öffnungen.

Um sie in ihre Plastikhülle zurückzubefördern, genügte es nicht, den Stöpsel herauszuziehen; nein, wir mußten Bücher auf sie stapeln und über diese Bücher hinwegspazieren, bis endlich alle Luft entwichen war.

Und nachdem wir etwa eine Viertelstunde gebraucht hatten, um sie wieder originalgetreu zusammenzufalten, mußte sie noch versteckt, um nicht zu sagen begraben werden, was in einem von Williams neuen Hemden geschah. Vorsichtig entfernten wir die Stecknadeln an Kragen und Man schetten, falteten das Hemd auseinander, schoben die Puppe hinein, legten das Hemd wieder zusammen und steckten die Nadeln fest. Das Hemd war vielleicht ein bißchen kompakter, unterschied sich ansonsten jedoch nicht von den anderen.

Wie William mir später erzählte, öffneten die Zöllner am Zielflughafen seinen Koffer, musterten mit geschultem Auge die Hemden, pickten das pralle Teil heraus, entfernten die Nadeln und förderten die Gummipuppe zutage – und das nicht nur vor William, sondern in Gegenwart dreier weiterer Mitarbeiter seiner Firma.

Ich hoffe bloß, Ahmed hat ihm geglaubt, daß »seine Frau« vom saudischen Zoll konfisziert wurde.

Meine Schülerinnen, reizende junge Mädchen, waren, wenn sie von Bruder, Vater, Onkel, bezahltem Chauffeur oder Ehemann zum Unterricht gebracht wurden, von Kopf bis Fuß in die schwarze Abaya gehüllt, die sie indes ablegten, sobald sie das Portal, das den Mädchentrakt von dem der Jungen trennte, passiert hatten. Der Lehrkörper war durchgehend weiblich: Videolektionen waren nur zugelassen, wenn sie ebenfalls von Frauen erteilt wurden. Ob man heute, wo vermehrt Online-Unterricht angeboten wird, wenigstens im saudischen Cyberspace etwas toleranter ist?

Ich hatte einen Kurs mit vierzehn Mädchen, die ich richtiggehend liebgewann, sobald wir uns über das Thema Religion geeinigt hatten, und zwar dahingehend, daß keiner von uns an der Religion der Gegenseite interessiert war. Wobei ich verschwieg, daß mich nicht einmal diejenige interessierte, die ich in meinem Bewerbungsbogen angegeben hatte. Es waren wirklich reizende junge Mädchen, auch wenn eine bereits verheiratet und die Großmutter einer anderen jünger war als ich – 39 damals.

Am lebhaftesten erinnere ich mich an den Tag, an dem ich ihnen den Konjunktiv beibringen mußte, oder war es das Konditional? Also jedenfalls den Modus, der gebraucht wird, um Wünsche zu äußern oder Phantasiesituationen zu beschreiben. Um mich nicht dem Vorwurf auszusetzen, ich würde sie lügen lehren, und eingedenk der Kollegin, die, einen Tag nachdem sie in ihrem Kurs *Das Verlorene Paradies* erwähnt hatte, entlassen worden war, betonte ich, es ginge hier ganz allein um die Formulierung von Wunschträumen. Zum Beispiel: »Wenn ich eine Million Dollar besäße, würde ich in den Ferien nach Paris reisen.« Ehrlich gesagt, wenn ich eine Million Dollar gehabt hätte, dann wäre ich auf Nimmerwiedersehen aus ihrem Sch…land verschwunden, aber um sie nicht vor den Kopf zu stoßen, begnügte ich mich mit dem Ausflug nach Paris.

Als erste kam Hariba dran und radebrechte: »Wenn haben Million Dollar, gehen Ferien Paris.« Worauf ich, an ihre Kommilitoninnen gewandt, sagte: »Also, Mädels, Hariba hat uns verraten, daß sie, wenn sie eine Million Dollar hätte, Ferien in Paris machen würde.« Alle lächelten. »Nun wollen wir hören, welchen Wunsch Nahir sich mit einer Million Dollar erfüllen würde. Also, Nahir?«

Nicht zu glauben: Auch Nahir wollte gehen Ferien Paris. Schöne Stadt, Paris.

Während ich die Mädchen der Reihe nach aufrief, näherte ich mich allmählich Farida, die allgemein als sehr sympathisch galt, tief religiös war und außerdem die Beste im Kurs. Leider wurde sie diesmal immer aufgeregter, je näher ich ihr kam, und als sie schließlich dran war, konnte sie kaum sprechen, sondern saß mit gesenktem Kopf da und verbarg ihr Gesicht in den Händen.

»Was hast du denn, Farida?« fragte ich, und zum Teufel mit Paris.

»Ach, Miss Donna«, stammelte sie und hob das tränenüberströmte Gesicht. »Ich kann nicht lügen. Ich *habe* eine Million Dollar.«

Was sagt man dazu?

Mein Paß! Mein Paß? Wer hat meinen Paß? Kolleginnen, die bereits seit über einem Jahr in Saudi-Arabien weilten – ein Wahnsinn, auf den wir jetzt

nicht näher eingehen wollen –, erklärten mir endlich, daß sämtliche Pässe bei der Einreise konfisziert und den Lehrkräften erst wieder ausgehändigt
wurden, wenn sie das Land verließen. Damit oblag
es, falls eine von uns vorzeitig gekündigt hätte, der
Universitätsverwaltung, unser Ausreisevisum zu
»bearbeiten«. Mit der Kündigung erlosch automa-
tisch das Anrecht auf den von der Universität gestellten Wohnraum, doch da eine Frau kein Hotel-
zimmer mieten konnte, mußte sie in solch einem
Fall in ihrem Apartment bleiben, allerdings zum
Preis von hundert Dollar pro Nacht. Angeblich
würde man sie so lange festhalten, bis alle ausge-
zahlten Gehälter wieder einkassiert wären. Erst
dann bekäme sie ihr Visum, oder vielleicht würden
sie sie auch noch etwas länger dabehalten, nur um
den anderen eine Lektion zu erteilen. Herrliche
Strände, und die Einheimischen sind ja so *zuvorkommend!*
Samstags durften wir mit unseren Studentinnen
ins neuerbaute Sportzentrum der Universität, wo
sie – also ich weiß nicht, was sie dort sollten, denn
unsere Mädchen hielten nicht viel von körperlicher
Betätigung, sofern sie mehr Anstrengung erfor-
derte als ein Spaziergang in gemächlichem Tempo.
Aber wir führten sie trotzdem hin, etwa fünfzig an
der Zahl: die Dozentinnen in knöchellangen Rök-

ken und die Mädchen in ihren schwarzen Wolken. Und dort, in der riesigen Sportarena, bestaunten wir den Swimmingpool, die Handball-, Squash- und Basketballplätze, alle hochmodern, mit frisch versiegeltem Parkett ausgelegt und von den Jungs noch nicht in Betrieb genommen.

Eine unserer Studentinnen schnappte sich einen Basketball und versuchte damit durch die Halle zu dribbeln. Der Ball rollte davon, und ein paar andere liefen aufs Spielfeld, um ihn zurückzuholen. Sie wußten immerhin so viel von den Regeln, daß sie sich den Ball gegenseitig zuspielten, erst im Stand und dann im Laufen. Eine nach der anderen streifte ihre Abaya ab und beteiligte sich an dem improvisierten Match. Ab und zu stoppte eine unter dem Korb und versuchte, einen Treffer zu erzielen, und sobald der Ball wieder herunterkam, schnappte ihn sich eine andere und entführte ihn, verfolgt von der ganzen Schar, ans andere Ende der Halle.

Wir westlichen Dozentinnen saßen am Spielfeldrand und sahen zu. Ich weiß nicht mehr, wer von uns als erste bemerkte, daß die Mädchen Stöckelschuhe trugen und daß jeder ihrer Schritte ein kleines Loch – rund oder quadratisch oder rechteckig – im Parkett hinterließ.

Niemand sagte etwas. Ausgelassen, mit wehenden, offenen Haaren, liefen die Mädchen auf und ab und kreischten vor Vergnügen. Und jede stanzte eine Spur von winzigen Löchern in den Boden. Etwa dreißig Mädchen tummeln sich auf dem Feld; alle laufen hin und her, hin und her. Der Anblick dieser Hunderte und Aberhunderte von kleinen Löchlein ist eine meiner schönsten Erinnerungen an Saudi-Arabien.

Und nun auf zur Rätselrunde: Eine Frau steht in der Kassenschlange vom Safeway-Supermarkt in Riad. In ihrem Einkaufswagen befinden sich achtzehn Flaschen Traubensaft, eine Schachtel Hefe, fünf Kilo Zucker und ein Plastikballon mit zwanzig Liter Fassungsvermögen. Was will die Frau damit machen?

Sie haben es erfaßt – Wein. Die meisten Universitätsmitarbeiter, Frauen ebenso wie Männer, brauten zu Hause ihren eigenen Fusel. Ich versuchte es auch, und das Resultat war grauenhaft, so grauenhaft, daß ich das meiste davon in den Ausguß kippte. Aber erst, nachdem meine Wohnung während der Gärung des ekligen Gebräus tagelang nach Alkohol gestunken hatte. Einige meiner Kollegen, die schon länger im Lande waren, verfügten über ausgefeilte Rezepte zur Herstellung von Wein und Bier. Diejenigen, die in Diplomatenkreisen verkehrten, bekamen Wein, Bier und Whisky zu kaufen, und man erzählte sich, daß die meisten der großen

Ghettosiedlungen, in denen die Angestellten namhafter Auslandsfirmen untergebracht waren, nicht nur professionelle Brennereien betrieben, sondern in einem Fall auch einen Laden, der Schinken und Schweinefleisch führte. Ich kam während meines Aufenthalts nicht in viele saudische Haushalte, aber die, zu denen ich Zugang hatte, verfügten alle über einen reichlichen Vorrat an Whisky.

Eine Zeitlang spielte ich Tennis mit dem Manager einer der großen Auslandsbanken, der mich hinterher oftmals auf ein Bier zu sich nach Hause einlud. Unsere Tennispartnerschaft endete mit dem Tag, an dem er mir Kokain anbot, das er über die Diplomatenpost bezog und in großen Mengen, zusammen mit Hasch und Marihuana, in seiner Gefriertruhe aufbewahrte. Wegen des Biers hätte man ihn schlimmstenfalls auspeitschen und mich des Landes verweisen können, aber wer in Saudi-Arabien Drogen nimmt, wird geköpft, und das wollte ich nicht riskieren, schon gar nicht für ein Laster, das ich nicht teilte und das mich nie interessiert hat.

Die Universität hätte man getrost als Farce abtun können, immerhin mit angeschlossener Bibliothek. Wir waren gehalten, alle Studenten gut zu benoten und beim Examen niemanden durchfallen zu lassen. Dem anglistischen Institut ist daraus vermutlich kein großer Schaden erwachsen, aber wenn diese Regeln auch für die Chirurgiekurse an der medizinischen Fakultät gelten, dürften die Folgen schon schwerwiegender sein. Ich geriet nur einmal mit der Unileitung über Kreuz, als ich zum Dekan (natürlich ein Mann) zitiert wurde, der mich auch eingestellt hatte.

Der gute Doktor war ein Lackaffe mit angeklatschten rabenschwarzen Haaren, umwerfend cooler Sonnenbrille und sogar einem britischen Akzent. Er eröffnete mir, wie in der Folge auch den anderen Dozentinnen, daß die Universität uns ersuche, aus Rücksicht auf die Landessitten unsere Haare zu verhüllen und vielleicht sogar die Gesichter (zweifellos wieder mit Rücksicht auf die Landessitten, denen ich höchstens in Unterwäsche gehuldigt hätte). Dabei waren wir laut Vertrag ausdrücklich von jedem Schleierzwang entbunden.

Ich bewunderte Schuhe und Anzug des Dekans und hörte ihn ruhig bis zu Ende an. Der geschniegelte Doktor war mit einer reizenden saudischen Frau verheiratet, zudem der Geliebte einer meiner Kolleginnen (es gibt nichts, was es nicht gibt, stimmt's?), und er hatte in Amerikanistik promoviert.

»Sir«, begann ich und lächelte dabei fast so ölig wie er, »ich weiß, Sie sind Amerikanist.« Hier machte ich eine Pause, damit er sein bescheidenes Lächeln anbringen konnte. »Also kennen Sie bestimmt das Gedicht *I Sing of Olaf Glad and Big* von E. E. Cummings.« Sein Lächeln besagte, daß er das Gedicht nicht nur kenne, sondern gründlich damit vertraut sei, obwohl der geschniegelte Doktor abgesehen von *Hustler* und *Playboy* wohl kaum mit amerikanischer Literatur in Berührung kam.

Ich deutete sein neuerliches Lächeln als Aufforderung, fortzufahren. »Also ich fürchte, mir bleibt keine andere Wahl, als Ihnen die letzte Zeile aus Vers vier in Erinnerung zu rufen.« Er nickte mir ermunternd zu, und ich legte los: »Wo es heißt: ›Ich weigere mich, jeden Scheiß zu fressen.‹« Ich hielt inne, doch da er weder durch Wort noch Geste zu erkennen gab, daß ihm der Text geläufig sei, schob ich ein höfliches »Guten Tag, Sir« nach, stand auf und ging.

Als ich Saudi-Arabien verließ, wurde mir die Kaution für meine Wohnung nicht zurückerstattet, und ich bekam das Geld erst, als ich es von den USA aus schriftlich einforderte und hinzufügte, es handele sich ganz sicher um ein bürokratisches Versehen, denn gewiß könnten die Herrschaften, die mit dem Schutz der heiligen Städte Mekka und Medina betraut seien, nicht einmal in Gedanken eine Unredlichkeit begehen, und was sollte unsereins vom Islam halten, Jungs, wenn so was einreißt?

Als Amerikaner dürfte man das Wort »Nigger« nicht in den Mund nehmen, ich weiß. Aber während meines Aufenthalts in Saudi-Arabien war ich ein Nigger. Das heißt, aufgrund eines Geburtsfehlers – in meinem Fall der Umstand, daß ich eine Frau war – betrachteten mich die meisten, mit denen ich es zu tun hatte, als minderwertig und hielten es nicht für nötig, mir auch nur die einfachsten Grund- und Menschenrechte zuzubilligen oder mich anständig zu behandeln. Während sie von meiner Arbeit profitierten, mußte ich als Objekt ihrer sexuellen Phantasien und ihrer Gewaltgelüste herhalten. Nach neun Monaten im Land hätte ich, bei entsprechenden Mitteln, leicht selbst gewalttätig werden können. Und das, obwohl mein Niggertum befristet war. Ich wußte immer, daß es in absehbarer Zeit zu Ende gehen würde, und wäre ich bereit gewesen, finanzielle Einbußen in Kauf zu nehmen, hätte ich es jederzeit abbrechen können. Je länger ich blieb, um so berauschender wurden die Gewaltphantasien, und die Erinnerung daran ist mir bis heute, fünfundzwanzig Jahre danach, geblieben.

Zum Schluß möchte ich gern noch klarstellen, daß meine Abneigung, mein tiefer Abscheu, nicht das geringste mit den Arabern oder mit dem Islam zu tun hat, denn ich bewundere vieles an der arabischen Kultur und habe den Islam bei meinen muslimischen Freunden immer als Quell des Friedens und des Trostes erlebt. Ich habe vier glückliche, friedvolle Jahre im Iran verbracht und mir auch nach meiner Rückkehr eine große Zuneigung für die Menschen und eine tiefe Bewunderung für ihre Kultur bewahrt. Meine Verbitterung richtet sich ausschließlich gegen Saudi-Arabien und nur gegen dessen männliche Bevölkerung. Ich war Gast in ihrem Land, und sie haben mich angespuckt und betrogen. Nach über einem Vierteljahrhundert wünsche ich ihnen immer noch alles Schlechte, das die Geschichte für sie bereithalten mag. Aber, ihr Lieben, das Land hat herrliche Strände, und die Einheimischen sind *so zuvorkommend!*

Geeignete Männer

Vor ein paar Jahren ließ ich mich auf der Suche nach zivilisierter männlicher Gesellschaft dazu hinreißen, auf einige Anzeigen aus der Rubrik »Personals« der *New York Review of Books* zu antworten, die bei vielen als Intellektuellenzeitschrift Nr. 1 in den Vereinigten Staaten gilt. Nein, ich schrieb nicht in eigener Sache, sondern für meine älteste und liebste Freundin, die damals schon sieben Jahre Witwe war. Sie lebte seit über dreißig Jahren in der Stadt New York, kannte deren Sitten und Gebräuche und hatte schon oft davon gesprochen, wie wenig geeignete Männer auf dem Markt seien. Sie hatte, wenn ich es recht bedenke, ebensooft davon gesprochen, wie viele ungeeignete Männer auf dem Markt seien, aber ich war sicher, daß ich ihre Probleme mit einem alexandrinischen Schwerthieb lösen und den Richtigen für sie finden könnte.

Gesellschaftliche Veränderungen machen es amerikanischen Singles beiderlei Geschlechts immer schwerer, einander zu begegnen: Die Kirchengemeinden geben keine geselligen Abende mehr, gesellschaftliche Organisationen verlieren in den letzten Jahrzehnten immer mehr Mitglieder, und immer mehr Menschen arbeiten zu Hause. Zudem werden die meisten guten Exemplare frühzeitig aus der Herde entfernt, und so sind ab einem bestimmten Alter die meisten Männer entweder verheiratet oder schwul. Oder beides.

Unbeeindruckt von Statistiken schrieb ich in den nächsten Monaten drei dieser Männer an und erklärte dazu, daß ich nicht für mich, sondern für eine New Yorker Freundin schrieb. Es folgten Briefe, und am Ende nahmen sie alle mit meiner Freundin Kontakt auf, die sich mit allen dreien traf. Und da ich regelmäßig nach New York komme, lernte auch ich sie kennen.

Dank jenes Wunders von Geduld und Liebe, das sich gelegentlich im Lauf einer vierzigjährigen Freundschaft entwickelt, spricht sie noch mit mir, aber ich muß zugeben, daß es dazu wirklich der allergrößten Geduld und Nachsicht ihrerseits bedarf. Denn diese Männer erwiesen sich aus unterschiedlichen Gründen als ungeeignet, obwohl sie weiß Gott auf dem Markt waren. In ihnen könnte man durchaus die Verkörperungen der Schwierigkeiten sehen, vor denen sich in New York alleinstehende Frauen eines gewissen Alters sehen (in

New York kommt man in diese Kategorie offenbar kurz nach dem dreißigsten Geburtstag), wenn sie einen Mann suchen, mit dem sie etwas eingehen wollen, wofür Amerikaner offenbar keine andere Bezeichnung haben als »Beziehung«.

Der erste war Edward, ein ungeschlachter, bärtiger Bär von einem Mann, so eine Kreuzung aus Fidel Castro und Helmut Kohl. Edward war Ende Fünfzig und geschieden, hatte erwachsene Kinder und bezeichnete sich selbst als »intelligenten, bücherliebenden Arzt mit Interesse an klassischer Musik, Essen und Museen«.

Hier hätten wir das erste Stichwort. »Interesse« ist oft eine Beschönigung für »Besessenheit«. Edwards Interesse an Musik entpuppte sich als enzyklopädisches Wissen über die Diskographie bestimmter Komponisten – Hindemith und Bartók gehörten zu seinen Lieblingen, soweit ich mich erinnere. Darum konnte er sich lang und breit über die Unterschiede zwischen dieser Furtwängler-Aufnahme von 1936 und jener de-Sabata-Einspielung von 1951 auslassen, was er leider auch tat. Ich habe einen Abend in seiner Gesellschaft verbracht und ihn über Musik reden hören, und kein einziges Mal kamen Wörter wie »herrlich«, »schön« oder »hinreißend« über seine Lippen. Statt dessen sprach er von der Klangfarbe der Flöten hier, dem verspäteten Einsatz der zweiten Violinen dort. Er hätte genausogut über die Schweinefleischpreise an der Chicagoer Warenbörse reden können, so wenig schien er zu *lieben*, wovon er da sprach.

Ebenso allwissend war Edward, wenn es ums Essen oder um die Sammlungen der wichtigsten Museen in einer ermüdend großen Zahl von Ländern ging. Nie konnte man seinen Worten entnehmen, daß er die Bilder schön fand, nicht einmal, daß er sie besonders gern ansah. Nach meiner Beobachtung übertragen viele amerikanische Männer die Begeisterung, mit der sie früher Baseballbilder gesammelt oder die Schlagzahlen ihrer Lieblingsspieler auswendig gelernt haben, später auf »erwachsenere« Interessen. Leider geht ihnen auf dem Weg vom Sport zur Kultur die meiste Freude und die ganze Begeisterung verloren, die ihre Kindheitsinteressen so bezaubernd machten. Die beliebtesten Themen sind offenbar: teure Autos, Erstausgaben und Stereoanlagen, die so hochgezüchtet sind, daß die Klangunterschiede zwischen den verschiedenen Modellen nur von Meßgeräten oder Hunden festgestellt werden können.

Erfrischend war, daß Edward jede Form körperlicher Ertüchtigung haßte und seit seinem Abgang von der Universität keine Sporthalle mehr betreten hatte. Er trank Wein zum Lunch und Brandy nach dem Abendessen. Und er rauchte. Das wollen wir ihm sehr zugute halten. Ich habe oft den Eindruck, daß es in New York von nichtrauchenden Antialkoholikern wimmelt, die zwischen Büro und Fitneßcenter hin- und herjagen, um Unsterblichkeit zu erlangen.

Der zweite war Jason, der sich als »Akademiker« mit Interesse an Film (sie sagen nie »Kino«), Geschichte und Politik bezeichnete. Schön, dachte ich, als ich meinen Brief abschickte, er ist New Yorker, also muß er ein Linker sein.

Zum Glück war ich gerade in New York, als meine Freundin sich mit Jason zum Lunch treffen wollte, also begleitete ich sie dorthin. Wir trafen ihn in einem kleinen Restaurant an der Columbus Avenue, nicht weit vom Lincoln Center. Es zeigte sich, daß Jason, der in seiner Anzeige nichts über sein Äußeres geschrieben, nur sein Alter mit »über fünfzig« angegeben hatte, hinter den Kinnbacken zwei verräterische Löcher aufwies. Sie waren rund, etwa rosinengroß und ebenso tief. Während er redete, legte ich den Kopf auf die offene Hand und tippte mit dem Finger auf die entsprechende Stelle an meinem Kiefer, wobei ich Jason fröhlich anlächelte und, sobald meine Freundin zu mir hersah, mit den Lippen das Wort »geliftet« formte. Irgendwo habe ich kürzlich gelesen, daß fast die

Hälfte aller Schönheitsoperationen in den Vereinigten Staaten an Männern vorgenommen wird, die nun auch von der Notwendigkeit eingeholt worden sind, sich ihr jugendliches Aussehen bis weit in die reiferen Jahre zu erhalten. Man kann nur hoffen, daß nicht alle mit diesen verräterischen Rosinen daraus hervorgehen.

Jason war leitender Angestellter in einer Investmentfirma und zweimal geschieden. Er machte sich Sorgen, daß so vieles im Land nicht in Ordnung sei, und sah unsere einzige Rettung in einer Rückkehr zu den »Werten der Familie«. Doch, Amerikaner sagen so etwas wirklich. Zu keinem Zeitpunkt zeigte er sich in irgendeiner Weise daran interessiert, wie wir über diese Themen dachten. Und offenbar hörte er nicht den geringsten Mißklang zwischen seinem Glauben an die Familienwerte, seinen Scheidungen und seinem gelifteten Gesicht.

Sobald wir unseren Kaffee ausgetrunken hatten, ereilte mich einer meiner Migräneanfälle, und ich sagte, ich müsse dringend nach Hause, um ein Aspirin zu nehmen. Er schien überrascht, daß wir beide aufstanden, um zu gehen, und lehnte unser Angebot ab, das Essen zu bezahlen.

Jason lieferte mir zusätzliches Beweismaterial für eine andere Beobachtung, die ich an amerikanischen

Männern gemacht habe: Sie hören Frauen nicht zu. Ich bin nicht sicher, ob sie einander besonders gut zuhören, aber Frauen hören sie jedenfalls nicht zu. Das könnte vielleicht erklären, warum Amerikaner beim Reden so unglaublich viele Füllsel wie: »Sehen Sie, Ich meine, Also und Ach ja« benutzen, nämlich nur, um den Gesprächsfaden in der Hand zu behalten, während sie überlegen, was sie als nächstes sagen wollen. Manchmal fand ich es schon erhellend, wenn ich in eine der seltenen Gesprächslücken, die sich in solchen Monologen auftaten, die Bemerkung einwarf, ich hätte entdeckt, daß geröstete Skorpione eine Köstlichkeit sind, oder der Rinderwahnsinn komme nach meiner Überzeugung vom Trinkwasser. Bis heute habe ich darauf noch keine Antwort erhalten.

Der letzte war Robert, mit dem wir uns auf einen Kaffee verabredet hatten, da meine Freundin nicht mehr gewillt war, mehr Zeit für ein erstes Treffen zu investieren, und sich schon gar nicht mit einem dieser Typen ohne »backup« treffen mochte, wie die Polizisten es ausdrücken. Robert (»Gebildeter, finanziell gesicherter Professor«) war schon da, als wir in das Café kamen, und schien erfreut, uns beide kennenzulernen. Robert freute sich überhaupt an allem: am Kaffee, an dem Tag, unserer langen, langen Freundschaft. Herrje, wenn ihm jemand das

Zweite Gesetz der Thermodynamik erklärt hätte, er wäre auch darüber erfreut gewesen.

Denn Robert war, man höre und staune, seinem wahren Ich begegnet, er ruhte in sich selbst, hatte das Kind in sich gefunden. Mit Psychotherapie hatte er es schon versucht, unser Robert, mit Religion, mit Aromatherapie, Elektrostimulation, war jetzt aber überzeugt, den wahren Frieden in der Lektüre eines der neuesten Friedens- und Weisheitsverkünder gefunden zu haben, deren Bücher die Selbsthilferegale Tausender von Buchläden in ganz Amerika füllen. Auch wir müßten, verstehen Sie, nur mit unseren eigenen Gefühlen in Kontakt treten, unsere Mitte finden, schon könnten auch wir diese wundersame Verwandlung erfahren. Er lehrte natürlich Soziologie.

Während ich Robert mit seiner hektischen Gutwilligkeit lauschte, fielen mir ein paar Zeilen aus Popes *Brief an Dr. Arbuthnot* ein:

Sein stetes Lächeln nur von Leere spricht,
ein seichter Strom, der plätschernd sich an
Kieseln bricht.

Ihm genügte es, wie offenbar vielen amerikanischen Männern, nur schon Gutes zu denken, um sich selbst als feinen, interessanten Menschen zu empfinden. Er brauchte das Gute nur zu *wollen*, dann war er schon mehr als überzeugt davon, daß eben dies ihn zu einem unvorstellbar wertvollen, ja faszinierenden Menschen machte. Sein Interesse an dem, was in ihm selbst vorging, war absolut. Er hatte sich eine solipsistische Welt geschaffen, die jedes Interesse an Dingen wie Kunst, Geschichte oder Politik ausschloß, außer natürlich insoweit, wie sie ihn betrafen. Oder das Kind in ihm, vermute ich.

Diesmal bekam meine Freundin einen Migräneanfall, und wir kehrten in ihre Wohnung zurück, lasen die *Times*, verzehrten ein Häagen-Dazs-Eis und machten uns Gedanken über die Schwierigkeit, in New York einen geeigneten Mann kennenzulernen.

Über Amerika

Meine Familie

Am Anfang von *Anna Karenina* heißt es sinngemäß, alle glücklichen Familien seien auf die gleiche Art glücklich, jedes familiäre Unglück aber habe seine eigene Färbung. Da der Satz von Tolstoi stammt und er vermutlich einschlägige Erfahrungen hatte, will ich ihn gelten lassen, auch wenn ich finde, daß Familien, egal ob glücklich oder unglücklich, sich vor allem durch ihre Macken unterscheiden. In der Kindheit sehen wir die eigene Sippe noch als Maßstab an, was ganz natürlich ist, schließlich wachsen wir darin auf, übernehmen ihre Redeweise, ihre gesellschaftlichen und finanzpolitischen Ansichten, ihre Art, mit Streß umzugehen, mit Alkohol oder dem Gesetz. Da liegt es nahe, ihr Verhalten normal zu finden, so verschroben es in Wahrheit auch sein mag.

In anderen Familien nehmen wir dagegen durchaus Absonderlichkeiten wahr: Ich habe in dieser Hinsicht als Kind weiß Gott einiges erlebt. Aber wohl aus Mangel an Erfahrung kommen uns auch die Macken anderer Leute erst zum Bewußtsein, wenn wir älter werden. Anfangs sind wir noch so damit beschäftigt, zu lernen und Eindrücke zu sammeln, daß kaum Zeit bleibt für Wertung und Zensur: Kinder sind zunächst einmal nichts weiter als unbefangene Beobachter.

Erst später beginnen wir zu richten oder zumindest eine kritische Haltung einzunehmen; oder vielleicht betrachten wir auch nur das vormals vermeintlich Normale aus objektiver Distanz und erkennen so unsere früheren Irrtümer.

In diesem Zusammenhang denke ich unwillkürlich an Dickens und all die bizarren Nebenfiguren, die seine Bücher bevölkern: an den alten Mann, der, um die Aufmerksamkeit seiner Frau zu erringen, mit Sofakissen nach ihr wirft; an Wemmick und seinen betagten Vater aus *Große Erwartungen* oder Uriah Heep aus *David Copperfield*. Als Kind, bei der ersten Lektüre, erscheinen uns diese Figuren fast so unwirklich wie Geschöpfe von einem anderen Stern. Erst der Erwachsene entdeckt beim Wiederlesen, wie viele Uriah Heeps die Welt bevölkern und in wie vielen Ehen unterschwellig aggressiv miteinander umgegangen wird. Ganz ähnlich verhält es sich, wenn man aus der Erwachsenen- oder gar Altersperspektive auf die eigene Familie zurückschaut und einem aufgeht, daß manches von dem, was sich dort zutrug, wohl ganz schön abgedreht war.

Zu den skurrilen Figuren aus meiner Kindheit gehörten drei Tanten meiner Mutter, die gemeinsam ein Haus mit zwölf Zimmern bewohnten. Die verwitwete Tante Trace war mit einem Apotheker verheiratet gewesen (was den Spekulationen darüber, woran er gestorben war, Tür und Tor öffnete). Ihre beiden Schwestern hießen Tante Gert und Tante Mad, deren Namen man so auszusprechen hatte, daß er sich auf das amerikanische »had« reimte und nicht etwa auf »bad«, damit niemand auf die Idee kam, ihr einen Vogel anzudichten. Diese drei Frauen lebten in schönster Eintracht zusammen, und als ich alt genug war, um zu ihnen auf Besuch fahren zu dürfen, waren sie bereits im Ruhestand, falls sie überhaupt je gearbeitet hatten.

Zusammen mit ein paar Freundinnen spielten sie von morgens bis abends Karten, mit Vorliebe Bridge. Sonntags gingen sie zur Kirche, folglich wurde da nicht gespielt, es sei denn, die Kirche veranstaltete einen Bridgeabend. Und Gert schummelte. Meine Mutter steckte mir das genüßlich, denn Gert war eine eifrige Kirchgängerin. Mit den Jahren hatte sie sich eine Taktik des Zauderns und Schwankens zurechtgelegt, die ihrem Partner so deutlich signalisierte, was Sache war, als hätte sie ihr Blatt offen auf den Tisch gelegt. »Oh, ich denke, ich riskiere mal ein Herz.« – »Also ich weiß nicht, ob ich's wagen kann, mit zwei Kreuz rauszukommen?« Da ich nie Bridge gespielt habe, kann ich diese Botschaften nicht entschlüsseln; uns genügte es zu wissen, daß die Tante schummelte. Mit einer Partie, die vier Stunden dauerte, ließ sich gerade mal ein Dollar gewinnen. Aber sie schummelte. Andererseits spendete sie Jahr für Jahr mehrere tausend Dollar für wohltätige Zwecke und war unheimlich großzügig gegen jedes Mitglied ihrer weitverzweigten und in der Regel undankbaren Familie; trotzdem schummelte sie.

Gert hatte außerdem eine farbige Freundin, eine ziemliche Seltenheit im New Jersey der 1950er Jahre, aber unsere Tante hatte es durchgesetzt, daß diese Frau in ihre Bridgerunde aufgenommen wurde. Da keine der anderen Damen sie als Partnerin wollte, spielte sie immer mit Gert zusammen, und weil sie schlecht spielte, verloren die beiden regelmäßig. Trotzdem hielt Gert an ihr als Partnerin fest. Und natürlich durfte sie auch bei keinem Weihnachtsessen fehlen.

Wenn ich an Gert denke, fallen mir lauter kleine Eigenheiten ein: Blumen legte sie nachts immer in den Kühlschrank, damit sie länger hielten; wenn ein Kind über ihren Rasen lief, griff sie prompt zum

Telefon und beschwerte sich bei den Eltern; sie ging nie ohne Hut aus dem Haus. Als sie nach dem Tod von Mad und Trace allein zurückblieb, ließ sie sich nicht dazu bewegen, das große Haus zu verkaufen und sich eine kleinere Wohnung zu suchen. Zumindest nicht bis zu den Rassenkrawallen in Newark, bei deren Ausbruch Gert sich einredete, als nächstes würden die aufgewiegelten Massen aus dem Schwarzenviertel sich zusammenrotten, raubend und plündernd die Hauptstraße stürmen und schließlich ihr Haus zerstören. Und obwohl sie in Wahrheit sichere fünfzehn Kilometer vom Ghetto entfernt lebte, verkaufte sie nun doch ihr stolzes Eigenheim und zog in eine mickrige kleine Sechszimmerwohnung. Kurz darauf starb sie und hinterließ einen Schrank voll Laken und Handtücher, die zu ihrer Aussteuer gehört hatten. Allesamt ungebraucht, genau wie die wunderschöne handbestickte Tischwäsche, von der ich heute noch sechs Servietten besitze.

Onkel Joe, der Klempner, war auch so ein Original aus unserer Familie. In seiner Jugend hatte er sich nichts sehnlicher gewünscht, als Farmer zu werden, aber sein Vater bestand darauf, daß er ein Handwerk erlernte, also wurde Joe Klempner, und zwar ein guter, obwohl der Beruf ihm keinen Spaß machte. Als ich ihn einmal fragte, was man als Klempner denn so alles wissen müsse, antwortete er lapidar: »Daß Freitag Zahltag ist und Scheiße nicht bergauf fließt.«

Er war wohl um die Vierzig, als er der Stadt den Rücken kehrte und hinauszog auf eine Farm im Norden New Jerseys, wo er, statt sich mit Abflußrohren und Ausgüssen abzugeben, den ganzen Tag auf seinem Traktor saß, säte und erntete und dabei glücklich war wie ein Kind. Vor seinem Haus errichtete er einen kleinen Holzstand zum Verkauf von Schnittblumen und Gemüse. Abends studierte er Samenkataloge und wohl auch den Kurs seiner Wertpapiere, denn er starb als Multimillionär.

Mein drei Jahre älterer Bruder und ich, wir haben beide die lebensbejahende Einstellung unserer Mutter geerbt, und auch der fast völlige Mangel an Ehrgeiz, der unser Leben bestimmt hat, stammt wohl von ihr. Mein Bruder verfügt zudem in hohem Maße über jenes Talent, das die Italiener als *arte di arrangiarsi* bezeichnen – die Kunst, sich zu helfen zu wissen, ein Problem zu umschiffen, immer wieder auf die Füße zu fallen.

Nichts belegt das besser als die Geschichte vom Erdaushub. Vor seiner Pensionierung verwaltete mein Bruder zuletzt eine Wohnanlage mit etwa hun-

dert Einheiten. Er kümmerte sich um Mietverträ-
ge und -zahlungen und war verantwortlich für den
Unterhalt der Gebäude. Irgendwann beschlossen
die Eigentümer, die Anlage auf Gasheizung umzustellen, was bedeutete, daß die alte Ölheizung mit-
samt dem Vorratstank unter einem der Parkplätze
entfernt werden mußte.

Das Abrißteam rückte an, montierte die alte Hei-
zung ab, grub den Tank aus und schaffte ihn fort.
Und dann standen auch schon die Inspektoren vom
Umweltschutzverband vor der Tür und behaupteten, der Tank habe ein Leck gehabt, durch das Öl
in den Boden gesickert sei; mithin sei das ringsum
aufgehäufte Erdreich erstens verunreinigt und zwei-
tens beschlagnahmt und könne nur gebühren-
pflichtig von einer eigens darauf spezialisierten
Speditionsfirma abtransportiert werden.

Mein Bruder war schon länger in der Stadt ansässig und daher etwas besser über die Beziehungen
zwischen den Inspektoren und jener Speditionsfirma
informiert als vielleicht der Durchschnittsbürger;
diese Kenntnisse verdankte er seinen Jagdfreunden,
von denen einige einem Verband angehörten, der –
hm, wie soll man das unverfänglich formulieren? –
also der in seinen Geschäftspraktiken nicht immer
ganz gesetzestreu war. (Wir befinden uns in New
Jersey, liebe Italiener, und es geht ums Baugewerbe,

capito?) Und so hegte mein Bruder denn seine Zweifel, was den tatsächlichen Verunreinigungsgrad des Erdaushubs betraf.

Durch einen glücklichen Zufall hatte er gerade zwei Wochen Urlaub vor sich, und am Abend vor der Abreise rief er einen seiner Jagdfreunde an, der als Fuhrunternehmer zufällig diverse Bauprojekte mit Füllmaterial belieferte und zufällig auch dem bewußten Verband angehörte. Mein Bruder erzählte ihm, daß er für einige Zeit verreisen würde, und bedeutete dem Freund, dessen Namen er mir nie verraten hat, er könne sich während der nächsten vierzehn Tage gerne den Erdaushub rings um den Schacht seines ehemaligen Öltanks abholen. Er müsse lediglich dafür Sorge tragen, daß die Laster ohne Kennzeichen und nur bei Nacht führen.

Mein Bruder und seine Frau kehrten zwei Wochen später braungebrannt und gut erholt aus ihren Ferien zurück. Als er aus dem Taxi stieg, das sie vom Flughafen nach Hause gebracht hatte, nahm er als gewissenhafter Verwalter als erstes die Gebäude und den Grund in Augenschein, die seiner Obhut unterlagen.

Schockiert über den Anblick, der sich ihm bot, schlug er sich an die Stirn und rief: »O Gott, man hat mir meine Erde gestohlen!« Worauf er hineinging, die Polizei anrief und den Diebstahl anzeigte.

Solche Originale gab es auch in der Familie meines Vaters, wenngleich mein Eindruck sich da eher auf Erzählungen stützt als auf eigene Anschauung. Da war zum Beispiel sein Onkel Raoul, der zweisprachig, mit Spanisch und Englisch, aufgewachsen war, sich aber am Telefon stets nur in sehr holprigem Englisch meldete und sich, wenn er selbst verlangt wurde, für den Butler ausgab, der gern nachfragen wolle, »ob Miister Leon sein libero«. Raoul war es auch, der einmal vor seinem New Yorker Hotel ein Taxi bestieg und sich bis nach Boston fahren ließ.

Vaters Onkel Bill residierte in einem großzügigen Landhaus etwa fünfzig Meilen nördlich von New York und verschwand oft für mal kürzere, mal längere Aufenthalte in den diversen Bananenrepubliken Süd- und Mittelamerikas. Offiziell hieß es, er sei im Kaffeehandel tätig, aber warum dann all diese Geschichten über seine Treffen mit Staatsoberhäuptern, umzingelt von Leibwächtern mit Maschinengewehr im Anschlag?

Bills Frau, Tante Florence, war ein wandelnder Farbtopf und zugleich das schwarze Schaf in der Familie: Sie litt unter dem zwiefachen Makel, nicht nur eine Geschiedene, sondern auch Jüdin zu sein. Außerdem hatten sie und Onkel Bill »in Sünde« zusammengelebt, wie man damals sagte, bevor ihre Verbindung legalisiert wurde, und auch das nur staatlicherseits: die Kirche wollte nichts mit ihnen zu schaffen haben. Angesichts so vieler Hindernisse sahen wir alle großzügig darüber hinweg, daß Florence erschreckende Ähnlichkeit mit einem Pferd hatte, leider jedoch nicht über dessen Intelligenz verfügte.

Ihr Leitspruch, den sie bei jedem unserer Besuche zum besten gab, lautete, als Frau müsse man sich dumm stellen, um einen Mann zu ködern. Mein Bruder und ich hatten nie den Eindruck, daß Florence sich verstellte.

Ach, und jetzt, wo ich darüber nachdenke, fällt mir ein: Da war ja auch noch Henry, ihr japanischer Koch. Henry war so eine Art Phantom: Angeblich hielt er sich in der Küche auf, aber keiner von uns hat ihn je zu Gesicht bekommen. Es ist Teil der Familiensaga, daß Henry testamentarisch verfügt habe, seine gesamten Ersparnisse sollten den Vereinigten Staaten zugute kommen. Da er weder ein Testament noch irgendwelche lebenden Angehörigen hinterließ, ging sein Wunsch wohl in Erfüllung.

Der Bruder meines Vaters – nach den Fotos, die wir noch von ihm haben, ein atemberaubend schöner Mann – war Offizier der Handelsmarine. Einem Gerücht zufolge soll er der Geliebte von Isadora Duncan gewesen sein. Wer das aufgebracht hat, ist allerdings weder meinem Bruder noch mir in Erinnerung geblieben, und als ich zum erstenmal davon hörte, wußte ich bestimmt noch nicht, wer Isadora Duncan war.

Familiengeschichten, Familiengeheimnisse.

Mein Tomatenreich

Amerikaner meiner Generation haben das puritanische Arbeitsethos noch mit der Muttermilch eingesogen. Ob es uns nun gefiel oder nicht, die Vorstellung, daß der Mensch auf der Welt sei, um zu lernen und zu arbeiten, gehörte zu unserem geistigen Fundament, weshalb die meisten von uns so zwangsläufig auf der Universität landeten wie ehedem in der Grundschule. Es war ganz selbstverständlich, daß man studierte, und nach dem Examen schwärmte man aus und suchte sich eine Anstellung. Diejenigen von uns, denen das Studium Spaß machte und die ein bißchen länger an Bord blieben, um etwa die höheren akademischen Weihen eines Doktortitels zu erwerben, winkten von der Reling aus den Kommilitonen nach, die frühzeitig davonruderten, um Lehrer oder Anwalt oder Ingenieur zu werden.

So ein Graduiertenstudium ließ sich über Jahre, wenn nicht Jahrzehnte ausdehnen: Man beantragte ein Stipendium nach dem anderen oder nahm zwischendurch eine Assistentenstelle an, und die akademische Kreuzfahrt ging weiter.

Finanziell aber rächte es sich irgendwann doch, daß wir uns so lange vor dem richtigen Arbeitsmarkt drückten. Forschungsstipendien und Lehraufträge reichten für ein Leben in gepflegter Armut, für Granola-Müsli und Birkenstocks, doch Opernreisen konnte man sich davon keine leisten, schon gar nicht nach Italien. Dickens hat das Problem wunderbar auf den Punkt gebracht, wenn er seinen Mr. Micawber philosophieren läßt: »Zwanzig Pfund Jahreseinkommen, neunzehn Pfund neunzehneinhalb Shilling Jahresausgaben – Ergebnis: Glück. Zwanzig Pfund Jahreseinkommen, zwanzig Pfund Sixpence Jahresausgaben – Ergebnis: Unglück.« Um das Unglück abzuwenden, das ein Jahr ohne ein paar Monate in Italien für mich bedeutet hätte, mußte ich also dafür sorgen, daß meine Einkünfte höher lagen als die Ausgaben.

Damals, in den Siebzigern, arbeitete ich an der University of Massachusetts an meiner Promotion. Meine Eltern wohnten in New Jersey, nur ein paar Autostunden entfernt. Hin und wieder besuchte ich sie. Meine Mutter, eine passionierte Gärtnerin, pflanzte jedes Jahr ein paar Dutzend Tomatenstöcke; keine Ahnung, warum, denn mehr als den Ertrag von drei, vier Stauden kann man zu zweit unmöglich verzehren. Der Garten befand sich hinter dem Haus, war aber von der Hauptstraße, an der ihr Grundstück lag, gerade noch einzusehen.

Newtons Apfel fiel an einem Nachmittag, als ich bei den Eltern zu Besuch war und meiner Mutter im Garten half. Eine Frau kam zu uns und fragte, ob sie meiner Mutter ein paar Tomaten abkaufen könne: Es geht doch nichts über am Strauch gereifte Tomaten, nicht wahr? Meine Mutter packte ihr einen ganzen Armvoll ein, weigerte sich aber, Geld dafür zu nehmen, und die Frau zog beglückt davon. Als sie fort war, wandte meine Mutter sich zu mir und meinte lachend: »Wahrscheinlich könnte ich mir eine goldene Nase verdienen, wenn ich die Dinger verkaufte, statt sie zu verschenken.«

Verkaufen statt verschenken? Verkaufen statt verschenken? Verkaufen statt verschenken? Hätte das nicht glatt von Karl Marx sein können?

Damals war im Staat New Jersey der private Handel mit Gartenerzeugnissen erlaubt, sofern die Produkte auf eigenem Grund und Boden geerntet und verkauft wurden. Nun hatten meine Eltern einen Freund, der nur ein paar Meilen entfernt eine Farm bewirtschaftete und dort auch einen Selbstpflückerservice für Tomaten oder Pfirsiche anbot, die jeweils körbeweise abgerechnet wurden. Ist nicht die Differenz zwischen Groß- und Einzelhandelspreis der Schlüssel zu jedem florierenden Unternehmen?

Gleich am nächsten Morgen fand ich mich früh um sieben auf Mr. Vreelands Farm ein, pflückte sechs oder sieben Körbe voll Tomaten und fuhr damit zurück zum Haus meiner Eltern. Auf einem Klapptisch, über den ich eine alte Wachstuchdecke gebreitet hatte, arrangierte ich am Straßenrand ein paar kleine Weidenkörbe mit jeweils ungefähr einem Kilo Tomaten, nahm hinter dem Tisch Platz und vertiefte mich in die Lektüre fürs nächste Trimester – falls mein Gedächtnis mich nicht trügt: *Sir Gawain und der Grüne Ritter* sowie *Beowulf*.

Um zwei Uhr nachmittags waren Grendel und seine Mutter tot, ich hatte den ersten Teil von *Beowulf* durchgearbeitet und alle meine Tomaten verkauft. Am nächsten Morgen pflückte ich die doppelte Menge Körbe, womit sich – ach, der Kapitalismus fließt wie Götterblut durch unsre Adern – auch mein Ertrag verdoppelte.

Das war im August, und mir blieben noch drei Wochen Sommerferien, bevor ich meinen Tutorenjob an der Uni wieder antreten mußte. Meine Eltern freuten sich, daß ich länger bleiben wollte, ich hatte meine Bücher – also warum nicht?

Der Rhythmus ergab sich wie von selbst: Bei Morgengrauen war ich auf den Feldern – wo ich mich gegen hummelgroße Moskitos wehren mußte, auch hin und wieder eine Feldmaus aufscheuchte – und arbeitete dort ein bis zwei Stunden. Die Anzahl der Körbe stieg fleißig weiter, bis die Hinterachse meines vw Käfers sich unter ihrem Gewicht bedenklich senkte.

Mein Verkaufsstand war unterdessen durch Mundpropaganda bekannt geworden, und ich hatte bereits etliche Stammkunden gewonnen. Wenn einer wissen wollte, ob die Tomaten auch wirklich selbst gezogen seien, wies ich mit Pharisäermiene hinter mich auf den Garten, wo man sehen konnte, wie prächtig Mutters Tomatenstauden gediehen. Andere fragten, ob ich Pestizide spritzen würde, was ich mit einem empörten »Auf gar keinen Fall!« konterte, auch wenn Gott allein wußte, womit Mr. Vreeland seine Pflanzen goß, düngte oder besprühte, wenn niemand zusah.

Manchmal, wenn mir der Standdienst langweilig wurde, ließ ich mich für ein paar Stunden von einem Schild vertreten, auf dem die Kunden gebeten wurden, sich selbst zu bedienen und das Entgelt in eine bereitgestellte Tasse zu legen. Kaum jemand nutzte diese Gelegenheit zum Diebstahl; allerdings vertauschten viele die Tomaten in den Körbchen und suchten sich jeweils die reifsten und schönsten heraus.

Und dann kam Harry. Meine beste Freundin und ihr Mann hatten sich vor kurzem einen jungen Scotch Terrier angeschafft – eben besagten Harry, der vorläufig noch mehr Ähnlichkeit mit einem flauschigen Wollknäuel hatte als mit einem Hundebaby. Die Freunde wohnten in New York, aber dann wollten sie in Urlaub fahren, und wohin, ach wohin mit Harry? So landete der kleine Kerl an meinem Stand, wo er sich unter dem Tisch schlafen legte oder mit seinem Tennisball spielte; manchmal trabte er auch den Kunden hinterher und versuchte, zu ihnen ins Auto zu klettern. Zwar rührte er keine Pfote, um beim Pflücken oder Verpacken zu helfen, aber dafür war er als Werbeträger unschlagbar. Bald mußte ich wiederholt klarstellen, daß Harry, im Gegensatz zu den Tomaten, unverkäuflich sei.

Zwei Wochen lang leistete er mir Gesellschaft, war immer gut aufgelegt und stets bereit, einem Ball nachzujagen oder sich den Bauch kraulen zu lassen: Von wie vielen Angestellten kann man das schon behaupten? Und obwohl er sich freute, als seine Besitzer ihn abholen kamen, schmeichle ich mir, daß unsere Trennung ihn dennoch schmerzte.

Dann fing die Uni wieder an, und ich kehrte nach Massachusetts zurück. Vielleicht lag es an meinem Tutorenvertrag und dem Hungerlohn, den er mir verhieß – jedenfalls kreuzte ich schon am zweiten Wochenende des Trimesters wieder in New Jersey auf und verdiente an diesem einen Wochenende mit meinen Tomaten so viel, wie mir die Universität für einen ganzen Monat zahlte. Vielleicht bin ich aber auch bloß einmal mehr meiner angeborenen puritanischen Arbeitsmoral gefolgt.

Die Beisetzung meiner Mutter

Meine Mutter starb an Zigaretten. Sie rauchte über 65 Jahre lang, in der Regel ein Päckchen pro Tag. Sie entstammte einer Raucherfamilie: Drei ihrer Geschwister sind demselben Laster zum Opfer gefallen. Gegen Ende ihres Lebens holte ich sie einmal aus dem Krankenhaus ab, wo sie nach einem leichten Schlaganfall eine Woche hatte zubringen müssen. Auf dem Heimweg bat sie mich, an einem Kiosk zu halten und ihr eine Schachtel Zigaretten zu besorgen. Erst ganz zum Schluß, vielleicht drei Monate vor ihrem Tod, hörte sie auf, verlor schlagartig die Lust am Rauchen und rührte keine Zigarette mehr an.

Im übrigen besaß meine Mutter einen galligen Humor, war stets zu Scherzen aufgelegt und, soweit ich mich erinnere, meistens gut gelaunt. Sie war beliebt, die Leute hatten Vertrauen zu ihr und sprachen sich gern bei ihr aus, und in ihren letzten Lebensjahrzehnten war sie gewissermaßen der heimliche Mittelpunkt unserer weitverzweigten Familie.

Sie war ungemein großzügig, und ich vermute, daß viele meiner Tanten und Cousinen heimlich von ihr unterstützt wurden. Und wenn meine Mutter etwas geschätzt hat, dann – bei Gott – eine gute Pointe, einen Drink und, ja, eine Zigarette dazu.

Als sie vor sechs Jahren starb, entschied sie sich, dem Beispiel meines Vaters folgend, für eine Feuerbestattung, was meinen Bruder beide Male sehr überrascht hat. Trauerfeier und Urnenbeisetzung lagen zeitlich so weit auseinander, daß ich zweimal aus Italien anreisen mußte. Die Urnenbestattung erfolgte an einem trockenen, sonnigen Tag im Spätwinter auf einem riesigen Friedhof in New Jersey: endlose Rasenflächen, kurz geschoren wie der Schädel eines Marines, und darauf, in immer gleichem Abstand, ein Wald von Einheitsgrabsteinen.

In Reih und Glied marschierten diese identischen Grabkreuze über den Rasen bis in scheinbar grenzenlose Fernen: einer wie der andere, einer wie der andere. Das Gras sah aus, als hätte man es statt mit dem Rasenmäher mit einem Staubsauger bearbeitet: Kein Hälmchen tanzte aus der Reihe; nicht eine einzige Blume weit und breit.

Meine Mutter liebte Blumen. In den Gärten hinter den Häusern meiner Kindheit war immer viel Platz für farbenprächtige Blumen, die freilich nie in ordentlich angelegte Beete gezwängt wurden, son-

dern in wilder Schönheit durcheinander wucher-
ten.

Als wir nun über dieses abgezirkelte Gräberfeld
schritten – der Geistliche voran, dann mein Bruder, der die Urne trug, zuletzt meine Schwägerin
und ich –, fiel mir unversehens wieder ein, was für
ein verrücktes Huhn meine Mutter doch gewesen
war. So hatte sie mich eines Nachts geweckt, damit
ich ihr half, Kuhdung vom Misthaufen eines Bauern
zu stehlen. Und ich erinnerte mich, wie sie von der
Gartenparty einer reichen Tante mit einer Handtasche voller Veilchenpflanzen heimkam, die sie mit
bloßen Händen ausgegraben hatte, als gerade keiner hinsah. Und immer hatte sie darauf bestanden,
auch unserem Hund ein Weihnachtsgeschenk zu
machen und ihn an Halloween zu kostümieren.

Etwa zwei Meter vor der Wandnische, in die die
Urne eingelassen werden sollte, entdeckte ich im
Gras einen Zigarettenstummel, weit und breit der
einzige, winzige Makel in diesem riesigen Areal
lupenrein gewarteten Einerleis. Ohne nachzuden-
ken, wies ich auf die Kippe und sagte zu meinem
Bruder: »Ach, da würde Ma sich aber freuen, daß
man sie nicht zu den Nichtrauchern steckt.«

Jetzt, wo ich es niederschreibe, merke ich natürlich, wie furchtbar das gewirkt haben muß: Der
Pfarrer jedenfalls konnte seine Entrüstung über

unser unpassendes Gelächter nicht verhehlen. Da standen wir nun, die drei Menschen, die Mutter am meisten geliebt hatten, trugen ihre Asche zu Grabe und lachten dabei wie die Irren. Aber dann ging mir auf, daß sie in einer vergleichbaren Situation sicher genauso reagiert, ja wie komisch sie meinen kleinen Scherz gefunden und wie herzlich sie darüber gelacht hätte. Irgendwie schien er dem Anlaß angemessen, und wohl wissend, wie gewagt eine solche Behauptung ist, glaube ich auch jetzt noch, daß ihr dieser Abschied gefallen hätte.

XX Large

Einer von Thomas Wolfes Romanen trägt den
Titel *Es führt kein Weg zurück*. Und wer von
uns Amerikanern schon seit Jahrzehnten im Aus-
land lebt, der ist womöglich versucht hinzuzufügen,
das sei auch gut so. Obwohl ich nicht vorhabe,
jemals wieder in den Staaten ansässig zu werden,
interessiere ich mich doch weiterhin für die viel-
fältigen skurrilen Eigenheiten des Landes und be-
zeichne es nach wie vor als »meine Heimat«. Wobei
letzteres vielleicht in erster Linie mit der Sprache
zu tun hat und damit, daß man sich dem Ursprungs-
land seiner Muttersprache nun einmal verbunden
fühlt; oder es liegt am gleichen Humor; womöglich ist es aber auch bloß so dahingesagt.

Jedenfalls fühle ich mich, wenn ich in die Staaten
reise, von Mal zu Mal mehr wie auf einem fremden
Planeten, umgeben von Angehörigen einer fremden Spezies: als wären in meiner Abwesenheit die
Body Snatchers einmarschiert und die Bewohner
durch Androiden ersetzt worden. Meine Mutter-

sprache ist noch in Gebrauch, aber vorgestanzte Slogans, betonharte Freundlichkeit und endlos wiederholte Worthülsen wie »echt cool« oder »oky-doky« verzögern einzig die Erkenntnis, daß das Gesagte allzuoft bedeutungslos ist.

Doch am stärksten fremdele ich angesichts der Körpermaße meiner Landsleute. Amerikaner sind übergewichtig, und zwar auf ihre ganz eigene, unverwechselbare Art und Weise: als hätte man eine Rasse von Hermaphroditen aus einem Spritzbeutel gequetscht, mit einer riesigen Kuchenspachtel schlampig in Form gebracht und geglättet, ihnen einen miesen Haarschnitt verpaßt, sie in zeltgroße T-Shirts und Hängejeans gesteckt und so auf ihre Umwelt losgelassen. Mein Alptraum ist, daß meine Finger, sobald ich einen dieser Fleischberge anfasse, bis zum mittleren Glied versinken und fetttriefend wieder herauskommen könnten.

Die Kirchenväter widmeten sich im Altertum ausgiebig dem Disput um das Dogma der Transsubstantiation, und genau das fällt mir ein, wenn ich diese Fettgebirge vor mir sehe: Wie aber ist die Verwandlung in solche Ungetüme zu erklären, wenn nicht durch Ernährung? Und was müßte man konsumieren, um diesen gigantischen Körperumfang zu erlangen? Ein Schnelldurchlauf im Supermarkt führt – vorbei an kilometerlangen Regalen mit

fettfreien, fettarmen, cholesterinfreien, ballaststoff-
reichen, Bio-dies- und Hydro-das-Produkten –
eindeutig nur zum fernen Horizont der schlanken
Linie. Restaurants setzen neuerdings die Kalorien-
zahl oder den Fettgehalt ihrer Gerichte auf die
Speisekarte. Der Grundstock für diese Fleischberge muß also in anderen Gängen lauern und in den
unvermeidlichen Knabbertüten, die man kursieren
sieht, wo immer ein paar Amerikaner zusammen-
treffen.

Stellen Sie sich meine Überraschung vor, als ich
ausgerechnet in dem Land, wo die Erwachsenen
beim Gedanken an Kaffeesahne erbleichen und Begriffe wie »zuckerfrei« und »ungesüßt« bereits zum
Grundwortschatz der Kinder gehören, ein neues
Konfektionssystem entdeckte, das statt peinlich hoher Zahlen, die auf Übergrößen schließen lassen,
den Buchstaben X eingeführt hat, wiederholbar so
oft, wie die Zahl *Pi* Stellen hinter dem Komma auf-
weisen kann.

Das eigentlich Paradoxe an den übergewichtigen
Amerikanern ist freilich ihr nimmermüder Schlank-
heitswahn. Falls die Gesellschaft dicke Menschen
attraktiv oder auch nur akzeptabel fände, würde
das zur Not Eßgewohnheiten und Umfang meiner Landsleute erklären. Aber welcher Prominen-
te möchte schon dick sein? Ja, wo finden Sie einen

Übergewichtigen in ihren Reihen? Erst jenseits der magersüchtigen Schluchten Manhattans kristallisiert sich ein eindeutiges Sozialgefälle heraus, wonach die Reichen schlank sind und die Armen dick. Bloß, wie ist das möglich in einem Land, das doch angeblich die Armut besiegt hat?

Ein derzeit sehr beliebtes Schlagwort im amerikanischen Psychoblabla lautet »Denial«. Und das bedeutet, wenn ich's recht verstanden habe: Man engagiert sich für eine Sache, verdrängt dabei aber erfolgreich deren wahre Ziele und Konsequenzen. Seriösere und kompetentere Beobachter, als ich einer bin, würden vielleicht die Behauptung wagen, die Amerikaner behandelten nicht nur ihre Gewichtsprobleme nach der »Denial«-Taktik, sondern auch ihre Politik, ihre Stellung in der Welt und ihre ökonomische Zukunft. Allein, das sind Themen, aus denen ich mich lieber heraushalte. Nur soviel: Bei fast jeder Nation dürfte, wenn sie ihre Rolle im Weltgeschehen justiert, eine gute Portion magisches Denken im Spiel sein. Und als praktisch veranlagtes, prosaisches Volk führen die Amerikaner der Welt ihre Denk- und Seinsweise eben gleich handfest vor Augen, unter Einsatz ihrer ganzen Körperfülle …

Thomas Wolfes bekanntester Roman heißt: *Schau heimwärts, Engel!* Ach nein, lieber nicht.

Wir wären alle Hackfleisch, Madam

Es war die Angst vor einer Blamage, die mich zu dem US-Militärstützpunkt zurückführte, auf dem ich früher als Dozentin gearbeitet hatte. Aber diesmal kam ich nicht, um Soldaten die Romane Jane Austens oder die Lyrik von John Donne näherzubringen, wie ich es fünfzehn Jahre lang getan hatte, sondern weil ich mich über Bomben informieren wollte. Gegen Ende eines Buches – eins, das ich schrieb, nicht las – waren mir nämlich Zweifel gekommen, ob die Explosion aus der Eröffnungsszene auch halbwegs glaubhaft dargestellt war. Im Buch wurde ein Swimmingpool in die Luft gejagt, was eine Überschwemmung gigantischen Ausmaßes zur Folge hatte, doch als es langsam auf den Schluß zuging, begann ich mich zu fragen, ob die angegebene Sprengstoffmenge auch wirklich ausgereicht hätte, um einen so verheerenden Schaden anzurichten.

Und wer konnte mir das besser beantworten als diejenigen, die sich tagtäglich mit Bomben befaßten? Vor Jahren hatte ich einmal einen Studenten aus einer Einheit, die zum Entschärfen von Sprengkörpern herangezogen wurde, und ich erinnere mich bis heute der verstohlenen Blicke, mit denen ich mich hin und wieder vergewisserte, daß seine zehn Finger noch alle dran waren. Ich hatte Glück: Seine Staffel war immer noch dort im Einsatz und gern bereit, mir Rede und Antwort zu stehen.

Der kleine Konferenzraum, in dem ich die Soldaten erwartete, verbreitete amerikanische Gastlichkeit; will sagen, es gab einen Colaautomaten und einen zutraulichen Hund als Maskottchen. Auf einem runden Tisch lag ein rechteckiger Block, ähnlich dem spröden, grünen Ton, den wir im Kindergarten zum Kneten hatten. Der Größe nach hätte es auch ein Dominokasten sein können, und führte Sprüngli nicht eine Pralinenpackung in ungefähr gleichem Format?

Die drei Männer vom Bombenentschärfungstrupp kamen herein und schüttelten mir die Hand, lauter nette Kerle, ganz ähnlich den Studenten, die ich jahrelang unterrichtet hatte und die mir sehr ans Herz gewachsen waren. Einer war groß und schlaksig, die beiden anderen wirkten eher klein und untersetzt. Doch während wir, noch im Stehen, ins Gespräch kamen, betrachtete ich sie genauer und stieß auf eine merkwürdige Unstimmigkeit. Von der

Taille abwärts waren sie tadellos gewachsen: schmalhüftig, mit geraden Beinen. Die Oberkörper dagegen schienen seltsam unproportioniert, fast als hätte man ihre Gürtel äußerst eng geschnallt, dann Luft in die obere Körperhälfte gepumpt und sie aufs Doppelte des normalen Umfangs aufgebläht. Ja, sie wirkten beinahe wie wattiert: Ob sie kugelsichere Westen unter der Uniform trugen?

Nachdem ich die angebotene Cola dankend abgelehnt hatte, setzte ich mich zu ihnen an den Tisch und erklärte, worum es ging: Ich wollte von ihnen wissen, wie groß ein Sprengkörper sein müsse, um damit einen halben Swimmingpool in die Luft zu jagen.

»Einen ins Erdreich eingelassenen Pool, Madam?«

»Ja.«

Nachdem sie ein, zwei Minuten untereinander gefachsimpelt hatten, erklärte der Sergeant, dazu bräuchte man eine Bombe von der Größe eines Feuermelders. »So ein Mordsding«, bekräftigte einer seiner Mitstreiter und hielt die Hand etwa achtzig Zentimeter über den Boden.

Nun war es aber beim gegenwärtigen Stand des Buches durchaus denkbar, daß die Figur, die diese Bombe eine ziemliche Strecke weit tragen mußte, sich als eine der Frauen meines Romanpersonals entpuppen würde. Mir dämmerte, was für eine Kopf-geburt ich da ausgebrütet hatte.

»Und wenn der Pool auf einer Plattform errich-tet wäre?« fragte ich.

»Dann wäre es ein Kinderspiel«, versetzte einer der drei und zeigte auf das grüne Viereck. »In dem Fall würde das da wahrscheinlich reichen.«

»Aha.« Ich rückte meine Brille zurecht und nahm, das Kinn in die Hand gestützt, eine möglichst läs-sige Pose ein. »Was ist denn das eigentlich?« fragte ich in einem Ton, als hätte ich mich schon längst danach erkundigen wollen, wenn es meinem dum-men Köpfchen nicht entfallen wäre vor lauter Ver-wirrung über das ganze Gerede von Sprengkraft und Minensätzen.

»Das ist eine Plastikbombe, Madam«, antwor-tete der Sergeant mit diesem typisch amerikani-schen Lächeln, ein Lächeln mit der perfekten An-zahl perfekter Zähne. Und da ihm natürlich nicht entging, wie gebannt ich auf die beiden elektrischen Drähte starrte, die aus einem Ende des grünen Rechtecks ragten, fügte er hinzu: »Aber sie ist nicht echt, Madam. Nur ein Modell, das wir bei Übungs-einsätzen benutzen.«

Erleichtert ließ ich meiner Neugier freien Lauf: »Angenommen, sie wäre echt und explodierte in diesem Raum – was würde passieren?«

Einer der beiden Aufgepumpten, der Blonde, der bisher geschwiegen hatte, versetzte lakonisch: »Dann wären wir alle Hackfleisch, Madam.«

Und auf meine Nachfrage hin präzisierte er: Selbst wenn jemand hinter dem Schreibtisch, dem Aktenschrank oder unter dem Tisch, an dem wir saßen, Schutz gesucht hätte, würde sich das nur auf die dem »Hackfleisch« beigemischten Zutaten auswirken: Metall, Holz oder Plastik.

Meine Frage war beantwortet, und ich wußte, daß ich die Stelle im Buch würde ändern müssen, aber irgend etwas – irgendeine perverse Neugier – hieß mich bleiben und Erkundigungen über Dinge anstellen, die mit meiner Arbeit gar nichts zu tun hatten. Und die drei erklärten nicht nur bereitwillig, sondern führten auch vor, was sie zu bieten hatten. Eine Aktenmappe zum Beispiel, die man auf verschiedene Weise zum Sprengkörper umfunktionieren konnte: mittels eines einfachen Zeitzünders oder durch einen Mechanismus, der ausgelöst wurde, wenn man die Mappe öffnete, sie aufhob oder auch nur im Vorbeigehen unachtsam dagegen stieß. Ganz ähnlich präpariert war eine Werkzeugtasche, gefüllt mit jenen biegsamen grünen Rechtecken, die sich scheinbar harmlos den üblichen Gerätschaften hinzugesellten.

Damit hatten wir die Ouvertüre und den ersten

Akt hinter uns gebracht, und nun schwang sich einer der drei zu einer Koloratur-Arie über die Gefahren auf, die unter meiner Küchenspüle lauerten. Mit einer Mixtur aus Natron, Ammoniak, Chlorkalk und anderen herkömmlichen Haushaltsreinigern könnte ein begabter Bombenbastler ein ganzes Haus in die Luft jagen. Und mit ein wenig Vaseline als Dreingabe ginge der Traum jedes Brandstifters in Erfüllung. Die nötigen Informationen ließen sich aus dem Internet ebenso leicht herunterladen wie Kinderpornos oder Anleitungen zu tantrischem Sex.

Um wieder auf das Betätigungsfeld der Soldaten zurückzukommen, fragte ich die drei, ob sie auch schon mit Landminen zu tun gehabt hätten, was zu einer Diskussion über die Landminenproduktion führte; ein blühender Industriezweig sowohl in Italien als auch in den Vereinigten Staaten, beides Länder, die nicht zu den Unterzeichnern des Pakts gegen die Herstellung von Landminen gehören. Die USA, so erfuhr ich, erzeugten allerdings nur Ver-teidigungsminen nach dem Vorbild der guten alten Claymore, die ursprünglich zur Sicherung von US-Militärstützpunkten dienen sollte und, wie meine drei Gewährsmänner zu glauben schienen, auch ausschließlich dafür eingesetzt wurde.

Mein lebhaftes Interesse bewog den großen

Schlacks, mir auch noch die Roboter zu zeigen, die den Korridor entlang in einem Extraraum schlummerten. Das waren Stahlkonstruktionen, so groß wie… also ungefähr so groß wie ein Rollstuhl, mit Stahlradantrieb und einer Art stählernen Prothese vorne dran, die bis zu fünfzig Kilo schwere Bomben aufnehmen und hochstemmen konnten. Daneben lagen die Tornister mit den etwa vierzig Kilo schweren Schutzausrüstungen, komplett mit Handschuhen, Gesichtsmaske und Spezialstiefeln.

Inzwischen war meine Neugier dermaßen angestachelt, daß ich zustimmte, als der Sergeant sich erbot, mir ein paar richtige Bomben zu zeigen. Wir gingen nach draußen zu einem niedrigen, langgestreckten Schuppen, wo die Muster diverser Bombentypen gelagert waren: lange, dünne, dicke und solche mit Heckflossen wie an einem Oldtimer-Cadillac.

»Und da hätten wir ein Bömbchen«, sagte mein Begleiter und hielt etwas hoch, das aussah wie ein metallener Tennisball, nur ein bißchen kleiner.

»Ein was?« fragte ich. Die niedliche Verkleinerungsform setzte prompt meine Phantasie in Gang. Wie das wohl auf italienisch hieße? *Bombina* vielleicht? Auf französisch? *Bombette*? So klein, fast putzig, ein süßes Spielzeug, das man sich glatt unterm Christbaum gewünscht hätte: Lametta, Beretta, Hallelujah.

Das Bömbchen war mit gebogenen, scharnier-artigen Flanschen versehen, die sich offenbar aus-klinken ließen. Erst als ich mich nach deren Zweck erkundigte, erfuhr ich, was es mit den Bömbchen auf sich hatte. Da sie einzeln gar so klein sind, pfercht man sie zu Hunderten in größere Behälter, die aus einer Höhe von zehntausend Metern abgeworfen werden. Beim Aufprall zerspringt der Kanister, und die befreiten Bömbchen kullern in fröhlicher Will-kür durchs Gelände. Im Ausrollen streifen sie die Flanschen ab, die jeweils mit einem Stolperdraht gekoppelt sind. Das Bömbchen geht nicht hoch, es wartet. Erst wenn ein Fuß, egal, zu welcher Art von Bein er gehören mag, den Draht berührt, tut das Bömbchen seine Pflicht und explodiert: »Erledigt garantiert alles in einem Umkreis von zweihundert Metern, Madam.«

Ich blickte um mich und versuchte, einen Ab-stand von zweihundert Metern zu taxieren. »Alles?«

»Ja, Madam. Die Dinger sind mit Metallkügel-chen gefüllt.«

»Aha«, erwiderte ich und schlug vor, wieder hin-einzugehen.

Zurück am Tisch mit meinen drei Vergilen, woll-te ich wissen, ob sie nicht manchmal ins Grübeln kämen bei so krassen Gegensätzen wie dem zwi-schen Namen und Erscheinungsbild dieses Bömbchens und seiner verheerenden Wirkung. Da ich in höflich lächelnde, aber sichtlich ratlose Mienen blickte, schob ich zur Klärung die Frage nach, ob es sie denn irgendwie beunruhige, daß sie aus der anonymen Entfernung von zehntausend Metern alles – einfach alles – Leben in einem Radius von zweihundert Metern auszulöschen vermochten.

»Aber wir werfen sie doch nicht, Madam. Wir entschärfen sie bloß«, entgegnete einer mit Nachdruck, und sein leicht defensiver Ton ließ mein Herz höher schlagen.

»Das habe ich schon verstanden, aber finden Sie es denn gar nicht befremdlich, daß solche Dinger überhaupt existieren?«

»Das ist eben Krieg, Madam.«

Ich versuchte es noch einmal und berief mich auf die alten Griechen aus den Geschichtsbüchern, die sich mit dem Schwert in der Hand bekämpften; die, wenn sie den Feind damit durchbohrten, seine Augen brechen sahen und ihre Hände mit Blut besudelten; wenn sie töteten, dann nicht aus zehntausend Metern Entfernung.

»O Gott!« rief einer in hellem Entsetzen. »Das ist ja barbarisch.«

»Bitte, was?«

»Na, Blut an den Händen und all das. Barbarisch.«
Die anderen nickten zustimmend. Barbarisch.

Mir blieb ungefähr jener Sekundenbruchteil, in dem die Entscheidung fällt, ob man das Steuer nach rechts oder nach links rumreißen soll; ob man sich alles gefallen läßt oder den Bettel hinwirft; ob man ja sagt oder nein.

Ich spielte den möglichen Fortgang der Diskussion durch, und mir wurde klar, daß wir uns nie einigen würden, weder in unseren Ansichten über den Krieg noch in der Vorstellung von mutigem und barbarischem Verhalten.

»Verstehe«, sagte ich und stand auf. Ich bedankte mich und gab allen dreien die Hand. Als ihr Maskottchen angetrottet kam, um sich zum Abschied noch einmal streicheln zu lassen, sah ich auf seinem Halsband ein Paar eingravierte Schwingen, das Abzeichen der US-Air Force. Schwanzwedelnd lief der Hund zur Tür und half den dreien, mich mit sicherem Geleit zurück ins Zivilleben zu eskortieren.

Pornographien des Leids

Kennen Sie dieses Gefühl? Sie gehen an einem Samstagnachmittag zu Sprüngli, betrachten sich die Patisserie-Auslage, bestellen sich zum Kaffee ein Gebäck, doch nachdem Sie es gegessen haben und die Bedienung alle Spuren getilgt hat, schleichen Sie zurück zur Auslage und bestellen sich eine zweite Leckerei. Normalerweise tun Sie so was nur, wenn Sie allein sind: Sie wollen schließlich nicht, daß Ihr Gespons und Ihre Freunde wissen, was für ein Mensch Sie wirklich sind, was für verfressene Gelüste sich hinter Ihrem ruhigen Äußeren verbergen, nicht wahr?

Ich verhalte mich ganz ähnlich, wenn ich CNN schaue: Ich tue es nur, wenn ich allein bin; und da ich nie einen Fernseher besessen habe, muß ich es außerhalb meines Heims tun; die Nachwirkungen sind immer die gleichen, dieses süßlich-klebrige Gefühl, so viele leere Kalorien gegessen zu haben, daß mir bald übel werden wird.

Im Lauf der Jahre habe ich mich an die Banali-

tätsexzesse von CNN gewöhnt, die grimmige Feier-
lichkeit, mit der die Nachrichtensprecherinnen und
-sprecher auch noch das alltäglichste Ereignis begrüßen. Früher hatten sie mich irritiert, wie einen
ein quengelndes Kind im nächsten Zugabteil nervt,
doch vor einer Woche sind sie zu weit gegangen
und haben bei mir würgenden Brechreiz ausgelöst.

Ich spreche von der Egypt-Air-Katastrophe und
den armen Teufeln, die wie Steine dem jähen Tod
im Atlantik entgegenstürzten. Zuerst hörte ich
davon auf CNN, nur wenige Stunden nachdem die
Nachricht eingetroffen war. Es gab nicht viel zu sagen: von welchem Flughafen die Maschine gestartet war, Zeit und Ort des Unglücks, die wahr-
scheinliche Anzahl Passagiere. Unklar waren die
Ursache des Absturzes und die Nationalitäten der
Toten. Da die Maschine in L. A. gestartet und in
New York zwischengelandet war, schien es wahrscheinlich, daß viele Passagiere Amerikaner waren,
und das Ziel Kairo ließ vermuten, daß viele weitere
Ägypter waren.

In den verschiedenen CNN-Zentren wurden diese
armseligen Informationen wiederholt von verschiedenen Sprecherinnen und Sprechern, deren Gesichter den angespannten Einheitsausdruck für Trauer
und große Wichtigkeit trugen, den – da bin ich

mir sicher – Fernsehnachrichtenleute sich antrainieren müssen; dann gaben sie weiter an anderswo sitzende Kolleginnen und Kollegen, die noch einmal dieselben Fakten wiederholten. Dazwischengeschnitten wurden Filmbilder von einem Hafen in New England, Navy-Schiffen und großen leeren Meeresflächen. Wir bekamen auch die Fassaden verschiedener Flughäfen zu sehen und die verwaisten Check-in-Schalter von Egypt Air.

Plötzlich wurden wir darauf aufmerksam gemacht, daß uns CNN in weniger als einer halben Stunde einen neunzigminütigen »Special« über die Katastrophe bescheren würde. Während wir darauf hingewiesen wurden, sahen wir Bilder von dunkelhäutigen, seltsam gekleideten Menschen (Sie wissen schon, Frauen in Abayas, Männer in Röcken), die beim Flughafen von Kairo eintrafen. Die Gesichter der meisten waren angespannt von jenem Ernst und jener Trauer, welche die Fernsehpräsentatorinnen und -präsentatoren während der letzten 15 Minuten gemimt hatten. Manche Frauen brachen mit vom Leid entstellten Gesichtern in den Armen der Umstehenden zusammen.

Da wurde mir klar, was uns wohl neunzig Minuten lang geboten würde: echte Trauer. Ich konnte mir vorstellen, was wir jetzt, eine Woche später, immer noch auf dem Bildschirm sehen können: He, guckt mal, echte Tränen, echte Trauer; Leute, die uns echtes Leid zeigen. Wir können dasitzen, an unseren Bieren nuckeln, das zweite Sandwich wegputzen, und direkt von unseren Wohnzimmern aus können wir echte Menschen echtes Leid empfinden sehen.

Eine Woche ist vergangen, und noch immer sind diese Pornographen des Leides voll bei der Sache: koptische Trauerfeierlichkeiten im exotischen Kairo, ja sogar eine muslimische Zeremonie auf Nantucket Island. Und weil das Verwandte und Freunde von Menschen sind, die echt gestorben sind, müssen das, ach Gottchen, ja echte Tränen sein. Das hat nichts zu tun mit Journalismus und nichts mit Nachrichten: Das ist leichenfledderischer Voyeurismus, ebenso beleidigend für jene, die das anschauen sollen, wie für jene, die gezeigt werden.

Zu Sprüngli werde ich immer wieder gehen; doch CNN schaue ich mir nicht mehr an.

Über Bücher

E-Mail-Monster

Das Problem rührt daher, daß ich meinen Computertechniker kenne, seit er ein kleiner Junge war. Robertos Familie wohnte unter mir, als ich mich in Venedig niederließ. Fünfundzwanzig Jahre ist das jetzt her, und er war damals ein hochaufgeschossener, staksiger Bengel, höflich und wohlerzogen, aber eben noch ein Kind. Heute, ein Vierteljahrhundert später, ist er Dottor Pezzuti, mit einem Diplom als Computeringenieur von der Universität Padua und einem Posten bei der ACTV, den städtischen Verkehrsbetrieben, wo er Programme entwickelt, die den gesamten Boots- und Busverkehr in und um Venedig regeln. Ich aber sehe in ihm immer noch den staksigen Bengel, und wahrscheinlich fällt es mir deshalb so schwer, seinen geduldigen und für ihn sicher qualvollen Erklärungen jener einfachen Grundregeln zu vertrauen, die maßgeblich sind für meinen Computer und die Programme, die Roberto darauf installiert. Denn woher sollte so ein Knirps, den man noch vor sich sieht, wie er am Campo ss Giovanni e Paolo seinen Fußball in den Kanal kickte, plötzlich so allwissend sein?

Folglich tat ich neulich nur so, als hätte er mich überzeugt, daß in meinem Mailprogramm kein Teufel versteckt sei, denn ich wußte genau, daß er Unrecht hatte. Schließlich habe ich IHN gesehen, habe mehrmals Zeichen seiner diabolischen Gegenwart empfangen. Sie finden das lächerlich, stimmt's? Sie lehnen sich, in sicherer Distanz zu Ihrer Tastatur, behaglich im Sessel zurück und machen sich lustig über meinen primitiven Aberglauben, meine dumpfen Ängste vor den Mächten der Finsternis? Aber ich warne Sie: Sie amüsieren sich auf eigene Gefahr, denn ich habe IHN leibhaftig gesehen, mithin weiß ich Bescheid.

Es begann vor vier Monaten, als ich auf E-Mail umgestellt wurde. Jahrelang hatte ich den Versuchungen von Freunden widerstanden, die mir zuredeten, endlich online zu gehen, mich einzuloggen ins Universum. Ich hielt dagegen, ich sei bislang ohne Fernseher oder *telefonino* ausgekommen, und zwar problemlos, wenn man davon absieht, daß ich weder Maurizio Costanzo und Pippo Baudo auseinanderhalten noch meine *mamma* aus dem Zug anrufen kann, um ihr mitzuteilen, daß ich in zehn Minuten daheim bin und sie das Wasser für die Pasta aufsetzen soll: die einzigen Vorteile, die diese modernen Komfortgeräte aus meiner Sicht zu bieten haben.

Allein, die Freunde ließen nicht locker: So ein Internetanschluß würde den Schriftverkehr erheblich beschleunigen; der Informationsaustausch zwischen Kontinenten (wer weiß, womöglich gar Planeten) funktioniere auf Knopfdruck, kein Vergleich mit dem italienischen Postsystem. Gleich Adam im Paradies wurde auch ich irgendwann schwach.

Wie sich bald herausstellte, hatte man mir nicht zuviel versprochen, auch wenn mir die Begleiterscheinungen ganz und gar nicht gefielen. Denn dafür, daß die schriftliche Kommunikation nun tatsächlich sehr viel schneller vonstatten ging, wurden Grammatik, Syntax und Inhalt in erschreckendem Maße vernachlässigt. Und dann die verstörenden Nachrichten von gewissen Lolas und Michaelas, die mir ungeahnte Freuden verhießen, wenn ich nur das Attachment öffnete.

Roberto half mir über sämtliche Hürden: Er erklärte mir, wie man dieses löscht und jenes ausblendet, heilte mich einmal von einem Virus und zeigte mir sogar, wie man den Empfang irgendwelcher unliebsamen Dinger unterbindet, die er beharrlich Cookies, Plätzchen, nannte.

Trotzdem ahnte ich gleich bei meiner ersten Begegnung mit dem Teufel, daß Roberto, ungeachtet seines Doktortitels, mir gegen IHN nicht würde beistehen können. Es geschah an einem Tag, als ich an der Rezension eines besonders geistesschlichten Romans saß und erfolglos um genau die Formulierung rang, die dem Autor den Garaus machen würde, ohne daß es nach Absicht aussah. Ich probierte dies und das, bekam aber die tödliche Pointe einfach nicht zu fassen. Und auf einmal sah ich den Schwanz.

Oder vielmehr nur dessen äußerste Spitze, die direkt vor meinen Augen, zwischen dem L für »langweilig« und dem O für »oberflächlich«, hervorlugte. Unschlüssig, welches vernichtende Adjektiv ich dem Buch auf dem Prüfstand entgegenschleudern sollte, glitt mein Blick über die Tastatur, und da sprang mir plötzlich dieses hochgereckte kleine Schwanzende, geformt wie ein Schlangenkopf, entgegen und wedelte in Richtung eines bestimmten Symbols auf der Taskleiste, wie um mir zu bedeuten, es sei an der Zeit, meine E-Mails abzufragen. Vielleicht wollte man meine Kritik ja gar nicht mehr; vielleicht war der Redaktion ein Irrtum unterlaufen, und ich sollte eigentlich ein ganz anderes Buch besprechen: *Tristram Shandy* zum Beispiel oder *Vanity Fair*, eine Arbeit, die mir Spaß machen würde.

Also erlaubte ich meiner Hand, den Cursor wie

aus Versehen auf dieses perfide Outlook-Express-Logo zu lenken, und linste verstohlen in den Post-eingang. Nein, keine Auftragsänderung, aber dafür eine Mail von jemandem aus Österreich, der anfragte, ob ich an einer Inszenierung von Händels *Teseo* in Klagenfurt interessiert sei und welcher Termin mir gegebenenfalls passen würde. Woraufhin ich zuerst meinen Terminkalender zu Rate zog, in einer Opernzeitschrift die Besetzungsliste nachschlug, mich telefonisch bei einer Freundin erkundigte, ob der Dirigent die Reise wert sei, und dann für Klagenfurt zusagte. Die zweite Mail kam von einem Freund aus London und war gespickt mit giftigen Bemerkungen über gewisse Leute aus dem Verlagsgewerbe. Da mußte ich natürlich Öl ins Feuer gießen und seinen Unmut schüren. Dann schrieb mir noch meine älteste Freundin aus New York, sie habe ein Foto vom vierzigsten Jubiläum unserer High-School zugeschickt bekommen und ich könnte mir nicht vorstellen, wie Barbara Tempesta aus dem Leim gegangen sei.

Mittlerweile war über eine Stunde verstrichen, und es wurde Zeit fürs Abendessen, aber ich verließ den Schreibtisch mit gutem Gewissen, denn schließlich hatte ich doch den ganzen Nachmittag am Computer gesessen, oder etwa nicht?

In den kommenden Wochen ließ der Teufel sich

nicht blicken. Ich schrieb die Rezension fertig und schickte sie ab, verfaßte einen kurzen Essay über Händels *Armino*, und danach konnte ich mich nicht länger vor dem Unvermeidlichen drücken: Kapitel siebzehn meines neuen Romans.

Minuten vergingen, eine halbe Stunde schleppte sich dahin, ohne daß etwas Nennenswertes passierte. Die Figuren saßen herum, gingen auf und ab, machten eine Bootsfahrt, rutschten nervös auf ihren Stühlen hin und her, unternahmen einen Spaziergang, kehrten an ihren Schreibtisch zurück, wo weder sie noch ich wußten, wie es weitergehen sollte. Und dann, während ich ratlos vor der Tastatur saß, war er auf einmal wieder da.

Doch diesmal sah ich keinen Schwanz, sondern ohne Zweifel eine knochige kleine Hand, dieselbe, die einst dem Dr. Faustus die Feder gereicht hatte. Zwischen dem A für »Antworten« und dem S für »Suchen« reckte sie sich empor und winkte mir zu. Dann hob sie wie drohend einen dürren Finger und wies auf den unteren Bildschirmrand, wo das tükkische Symbol lauerte. Eine halbe Seite lang blieb ich standhaft, aber während ich weiterzuarbeiten versuchte, schnellten mehr und mehr kleine Finger und dann grade mal die Schwanzspitze zwischen den Tasten hervor und zeigten immer-, immer-, immerzu auf dieses eine Symbol, das obendrein anfing zu flackern und zu pulsieren und endlich rot erglühte, wie weiland der Apfel im Paradies. Ich versuchte es mit Augen-Schließen und An-England-Denken, obwohl ich wußte, daß es sinnlos war, weil es für uns arme schwache Menschenkinder keine Rettung gibt vor Satans Verführungskünsten, kein Entrinnen, wenn der Teufel der Trägheit uns heimsucht.

Roberto werde ich natürlich nicht mehr darauf ansprechen. Ich weiß ja, daß er mir nicht glauben, mich wahrscheinlich auslachen oder mir schlimmstenfalls mit einem mitleidigen Blick von oben herab nahelegen würde, daß ich in letzter Zeit wohl zuviel gearbeitet hätte und den Computer vielleicht für eine Weile in Ruhe lassen sollte. Außerdem besteht die Gefahr, daß er sich meinen Computer vornehmen und versuchen könnte, den Schwanz wegzubringen, die Finger zu löschen. Und das Furchtbare, das Furchtbare daran ist: Auch wenn ich ihm zutrauen würde, das zu schaffen, ich will es gar nicht.

Eine Leiche zum Dessert

Wir saßen an einem der eng gestellten Tische in einem italienischen Restaurant unweit von Covent Garden: zwei Frauen reiferen Alters, dezent gekleidet, die auf ihre Pasta warteten und dabei ins Fachsimpeln kamen.

»Was bevorzugen denn Sie?« fragte ich meine Begleiterin, während ich dem Kellner zunickte: Ja, für mich noch ein Mineralwasser, bitte.

»Also, was mir Spaß macht, ist ein kräftiger Tritt und – zack! – die Treppe runter.« Sie hielt inne und ließ den Blick gedankenverloren über die Fotogalerie italienischer Schauspieler gleiten, bevor sie ihr Messer zwei Zentimeter nach links rückte (was mir bedeutsam schien) und hinzufügte: »Erwürgen ist auch was Feines.« Abermals eine nachdenkliche Pause. »Ja, ich muß gestehen, ich habe eine große Schwäche fürs Erwürgen. Das hat so was Haptisches, fast Intimes.«

»Ich verstehe, was Sie meinen«, erwiderte ich, »auch wenn ich's noch nie probiert habe. Geht es leicht?« Ich brach ein Stück von einem Grissino ab und begann daran zu knabbern.

»Nun ja«, hob sie an, gerade als der Kellner mit meinem Wasser und ihrem Wein erschien. Sie nahm einen Schluck, nur einen ganz kleinen, bevor sie das Glas absetzte und fortfuhr: »Man muß schon sehr nahe rankommen, verstehen Sie. Vielleicht wäre es für den Anfang besser, sich von hinten anzuschleichen, dann ist es nämlich schwerer, Sie abzuwehren.«

Ich lauschte andächtig. Unterdessen hob sie die Hände und richtete sie genau auf meinen Hals. »Andererseits steckt die meiste Kraft in den Daumen, also wohl doch lieber von vorn.«

Wieder hatte ich aufmerksam zugehört. Ja, ja, so ginge es entschieden besser. Sie ließ die Hände sinken und lächelte den Kellner an, der unsere *Spaghetti con broccoli* servierte und »*Buon appetito*« wünschte.

»Womit arbeiten Sie denn gerade?« fragte meine Begleiterin, während sie schwungvoll einen Strang Spaghetti um ihre Gabel wickelte.

Den Blick auf den Teller gesenkt, aber an sie gewandt, antwortete ich: »Letztes Mal habe ich einem Mann mit einem Ziegelstein den Schädel eingeschlagen. So was hab ich mir schon als Kind gewünscht. Ja, ich habe sogar ständig damit gedroht:

›Wenn du das nicht seinläßt, hau ich dir ein Loch in den Kopf.‹ Aber jetzt habe ich's endlich wahrgemacht, und ich muß sagen, es hat richtig gutgetan.« Eine Spur zuviel Knoblauch an der Sauce, trotzdem sehr lecker.

»Ja, Steine und Ziegel sind toll, nicht? So was Handfestes.« Sie nahm noch eine Gabel Pasta. »Und sonst?«

»Na ja, diese Woche wollte ich einen Mann erstechen, doch dann fiel mir grade noch ein, daß ich die Methode schon hatte, also bin ich umgestiegen auf Garotte.«

»Hmmm«, seufzte meine Begleiterin genießerisch. »Die Pasta ist vorzüglich, nicht?« Und mit einem verträumten Blick ins Leere: »Die Garotte hat mich immer schon gereizt.«

Ich aß noch ein paar Spaghetti. »Sehr empfehlenswert, probieren Sie sie doch mal aus.«

Sie wiegte den Kopf. »Ich habe einmal einen langen Seidenschal benutzt. Ist eigentlich fast das gleiche, oder?«

Ich nickte. Bestimmt hatte sie recht. »Und Schußwaffen?«

Da hatte ich offenbar einen Nerv getroffen. Sie legte die Gabel hin und sah auf. »Sind mir ein Greuel! Schon weil ich dauernd irgendwas durcheinanderbringe: Entweder ist es das falsche Kaliber

oder die falsche Munition, und dann hagelt es Le-
serbriefe mit Richtigstellungen und Beschwerden.«
Sie nippte an ihrem Wein. »Und wie ist das bei Ihnen?«

»Genauso. Ich weiß nie, in welche Richtung das
Blut spritzen oder wie groß das Einschußloch sein
muß. Aber«, schränkte ich nach kurzer Überlegung
ein, »ich glaube, am meisten stört mich, daß die
Dinger so einen Krach machen.«

»Ja, abscheulich!« Wir waren zur gleichen Zeit
mit dem Essen fertig; der Kellner kam und räumte
die Teller ab.

Sie neigte den Kopf, tupfte mit der Serviette über
die Lippen, griff zum Weinglas und trank einen
Schluck. »Und noch was, ich hasse Gift.«

Ich nippte an meinem Wasser. »Ich auch.«

Aus dem Augenwinkel sah ich, wie der Kellner
mit den Dessertkarten auf unseren Tisch zusteu-
erte. »Ach, Ruth, bevor wir zum Nachtisch kommen: Waren Sie eigentlich mal bei einer Obduk-
tion dabei?«

Keine Träne für Lady Di

Am 5. September, dem Tag vor *der Beisetzung*, saß ich in einem Flugzeug nach New York. Einige Stunden nach dem Start in London, wo ich umgestiegen war, wollte ich mir gerade ein Glas Wasser holen, als ich von einer Stewardeß angesprochen wurde. Mit geziemend feuchtem Augenaufschlag trat sie auf mich zu, legte mir die Hand auf den Arm, was gewiß tröstlich gemeint war, und sagte mit stockender Stimme: »Wir haben es eben vom Kapitän erfahren. Und Sie freuen sich bestimmt auch darüber. Im morgigen Wetterbericht heißt es für London heiter und trocken.«

Ich maß sie mit stählernem Blick und antwortete in absichtlich leicht verwirrtem Ton: »Verzeihung, aber geht diese Maschine nicht nach New York?«

Sie rang um Fassung – vergebens. »Für *die Beisetzung*«, stammelte sie. Hing da eine Träne an ihren Wimpern?

Eine ganze Woche lang hatte ich zuvor in den

Medien verfolgt, wie der beklagenswerte Tod einer Frau den Erdball erschütterte, deren Leben die Boulevardpresse über fünfzehn Jahre hinweg Kapitel für Kapitel vor mir ausgebreitet hatte, ohne daß es mich im geringsten interessierte. Natürlich tat es mir leid, daß die Ärmste gestorben war, aber das gilt für den Tod jedes anständigen, unbescholtenen Menschen. Man mag mich für roh und herzlos halten, doch ich sah nicht ein, wieso ausgerechnet der Tod dieser Frau mir so besonders nahegehen sollte. Entnervt warf ich die Arme in die Luft und rief merklich gereizt: »Ich halte das nicht mehr aus! Ich will nichts weiter davon hören!«, bevor ich an meinen Platz zurückkehrte. Ich saß in der Business Class – als Upgrade, aber da die Stewardeß das nicht wußte, mußte sie mich weiterhin zuvorkommend behandeln. Außerdem hätte sie mir in einem Flugzeug ohnehin nicht die Tür weisen können, oder? Ich hörte allerdings, wie sie sich seufzend bei einem anderen Passagier beklagte: »Manche Menschen haben einfach keinen Sinn dafür.« Genau, mein Kind: Für so was haben manche Menschen wirklich keinen Sinn.

Wieder an meinem Platz, las ich die letzten fünfzig Seiten von Edith Whartons *Das Haus der Freude*. Der Roman erzählt die Geschichte von Lily Bart, Tochter einer verarmten New Yorker Familie mit nützlichen Kontakten zur High Society. Lily erhält keine vernünftige Ausbildung, sondern wird einzig dazu erzogen, auf gesellschaftlichem Parkett zu glänzen, um eines Tages eine gute Partie zu machen, was für die Frauen ihrer Epoche und ihres Standes gleichbedeutend mit einer Geldheirat war. Ich hatte das Buch schon zwei-, dreimal gelesen, wußte also um Lilys fatalen Scharfblick, mit dem sie nicht nur die Falschheit und Heuchelei in ihren Kreisen durchschaute, sondern auch, wie billig und vulgär es dort hinter der großbürgerlichen Fassade zuging. Nur leider durchkreuzte dieses hellsichtige Talent beständig all ihre gesellschaftlichen Ambitionen. Die Chance auf eine Heirat mit Percy Gryce, den schon sein Name als grauenhaften Langweiler entlarvt, schlägt sie aus. Sich an der Rivalin zu rächen, die ihr Leben zerstört hat, lehnt sie als ehrenrührig ab. Kaum hat sie erfahren, daß sie von der einzigen Verwandten, die es in der Hand hatte, sie reich und damit unabhängig zu machen, enterbt wurde, gratuliert sie auch schon der Frau, die nun das Erbe antritt, das eigentlich ihr zugestanden hätte.

Untadeliges Denken und Handeln gehören ebenso zu Lilys Charakter wie ihre phlegmatische Art und die Tatsache, daß sie nicht mit Geld umgehen kann. Sie entscheidet sich oft grundfalsch, aber stets aus den lautersten Motiven. Hoffnungslos verarmt, endet sie schließlich in einem heruntergekommenen Viertel von New York und stirbt – ob durch Unfall oder Selbstmord, bleibt offen – an einer Überdosis Laudanum. Als ich an die Stelle kam, wo ihr Tod und die Auffindung ihres Leichnams geschildert werden, liefen mir die Tränen übers Gesicht, und das, obwohl ich wußte, wie der Roman ausgeht, und Lilys Untergang dreihundert Seiten lang hatte kommen sehen.

War das nun herzlos von mir, daß ich um diese erfundene Heldin weinen konnte, während mein Auge beim Tod der echten Lady Di saharatrocken blieb, obwohl es zwischen ihr und Lily doch so viele tragische Parallelen gab? Auch Prinzessin Diana hatte nur eine mangelhafte Ausbildung genossen, war mit keinem höheren Ziel erzogen worden als dem, eine gute Partie zu machen, und sah sich schließlich in einem System gefangen, dessen Verlogenheit sie erkannte, aus dem es aber dennoch kein Entrinnen gab. Lady Di hatte also durchaus Ähnlichkeit mit Lily Bart, und doch flossen meine Tränen für die Romanfigur und nicht für die Frau aus Fleisch und Blut.

Im XIV. Kapitel seiner *Biographia Literaria* beschreibt Coleridge den Prozeß des *»willing suspension of disbelief«,* dem man sich bei der Lektüre von Gedichten unterziehen müsse. Und er meint damit das willentliche Sich-Hineinversetzen, die Aufgabe der kritischen Haltung des Lesers zugunsten einer stärkeren suggestiven Wahrnehmung. Auf den Roman übertragen heißt das: Nur wenn wir unserer Phantasie freien Lauf lassen und es uns gelingt, Personen und Handlungen für die Dauer der Lektüre zum Leben zu erwecken, nur dann wird uns ein wirkliches Lesevergnügen zuteil.

Für diejenigen von uns, die den Großteil ihres Lebens mit Büchern zugebracht haben, werden literarische Gestalten mit der Zeit mindestens so authentisch wie real existierende Personen. Und wenn ein Genie am Werk ist, erlangt so eine Romanfigur gar noch eine gesteigerte Realität, die sie uns näherbringt als so manchen Menschen, dem wir im wirklichen Leben begegnen: Darum kennen wir Emma Bovary besser als die meisten unserer Nachbarn und verstehen Anna Karenina eher als viele unserer Freunde. Antigones ebenso starrköpfiges wie verhängnisvolles Beharren auf dem Pfad der Tugend dient denjenigen unter uns, die selbst keine so noble Gesinnung haben, als leuchtendes Vorbild.

Lily Bart ist großartig, weil Edith Wharton genial war; Emma Bovary so lebensecht, weil auch Flaubert ein Genie gewesen ist; und Anna Karenina verdankt ihre Hochherzigkeit der überragenden Begabung Tolstois. Die Geschichte der armen Diana dagegen haben nur die miesesten Klatschreporter in Gazetten wie *National Enquirer*, *Bild* und *Gente* breitgetreten. Doch in der Maschinerie der Sensationspresse konnte aus ihrem Leben nie mehr werden als eine Ansammlung von Klischees, garniert mit Fotostrecken. Wir haben sie auf Tausenden von Fotos gesehen, die intimsten Details ihres Lebens nachgelesen und sie trotzdem nie kennengelernt, jedenfalls nicht so wie Emma und Anna und Lily.

Was immer an Substanz in ihr gesteckt haben mag, wir wissen es nicht und werden es wohl auch nie erfahren, weil kein Genie sich ihrer Geschichte angenommen hat.

Sprachliche Manipulation

Vor einiger Zeit las ich in einer englischsprachigen Zeitung, daß eine Gruppierung in den Vereinigten Staaten beantragt habe, das Wort »Nigger« aus dem Vokabular zu streichen. Nein, falsch: Da stand, sie wollten das »N-Wort« tilgen. Nun habe ich in meinem Alter zwar schon so manchen amerikanischen Schwachsinn gehört, aber ich muß gestehen, daß diese Meldung selbst mich linguistisch gebeutelte alte Zynikerin in Erstaunen versetzte. Der Artikel berief sich auf die gewohnten Argumente: Angeblich nahmen die Afroamerikaner Anstoß am rassistischen Beigeschmack des Wortes und wollten es aus dem Vokabular entfernt wissen.

Die USA sind ein zutiefst rassistisches Land, und obgleich die Afroamerikaner auf der Abschußliste verhaßter Ethnien an der Spitze stehen, darf man nicht vergessen, daß auch Latinos, Juden, Orientalen, Polen, Italiener, Indianer und womöglich gar Montenegriner ihren Platz darauf haben. Was also, fragte ich mich, blüht uns als nächstes? Müssen alle

Begriffe, die in irgendeiner Weise eine Minderheit verunglimpfen, aus dem Vokabular gestrichen werden, damit ja kein unbedarfter Leser sich beleidigt fühlt? Muß die Sprachgeschichte umgeschrieben werden, um nicht gegen ein neu entwickeltes politisches Feingefühl zu verstoßen? Und muß man denjenigen, der im Wörterbuch unter *chinese* nachschlägt, nicht auch vor dem verderblichen Einfluß des gleich dahinter rangierenden *chink* für Schlitzauge bewahren? Oder wird künftig jemand, der sich für den Wert des einstmals kaufkräftigen Guineas interessiert, vergeblich im Lexikon nachschlagen, nur weil *guinea* auch ein abfälliger Spitzname für Italiener ist? Ich bin eine Frau, und von meiner Warte aus ist jedes englischsprachige Wörterbuch gespickt voll mit Begriffen, die verächtlich, abfällig und aggressiv gegen das weibliche Geschlecht polemisieren. Aber ich kann mir kaum vorstellen, daß die Vorurteile, die im Gebrauch dieses Vokabulars zum Ausdruck kommen, sich beseitigen ließen, wenn man es aus dem offiziellen Wörterbuch verbannte. Andererseits reden wir hier über Amerika, das Land des schönen Scheins und der Oberflächlichkeit, und so glauben diese Puristen vielleicht allen Ernstes, daß uns die Tilgung einschlägiger Begriffe plötzlich Rassengleichheit beschert, womöglich gar unseren ersten schwarzen Präsidenten.

Präzedenzfälle für solch irrwitzige Selbsttäuschungsmanöver sind durchaus vorhanden: Die Bettler, die noch vor einigen Jahren das Straßenbild Manhattans mitbestimmten, sind fast alle verschwunden. Zumindest aus dem Zentrum Manhattans. An der Armut und ihren Ursachen hat sich dadurch nichts geändert – die sind höchstens schlimmer geworden –, aber da die sichtbaren Zeugen des Problems aus dem Herzen von Amerikas prominentester Großstadt entfernt wurden, kann man sich leicht vorgaukeln, der Traum von der sozialen und wirtschaftlichen Gerechtigkeit sei endlich wahr geworden. Und von da wäre es nur noch ein kleiner Schritt bis zu Platons Philosophenkönig...

»Deine Mutter ist eine dreckige Niggerin.« – »Wer ›Nigger‹ sagt, dem soll die Zunge abfallen.« Würde das Wort »Nigger« aus dem Sprachschatz getilgt, indem man es säuberlich aus dem Wörterbuch herausstreicht, ginge auch der radikale Bedeutungsunterschied zwischen diesen beiden Sätzen verloren, und der zweite, der dieses besonders widerliche rassistische Schimpfwort brandmarkt, würde nur noch läppisch wirken. Probieren Sie's ruhig aus: »Wer das ›N-Wort‹ benutzt, dem soll die Zunge abfallen.« Nein, beeindruckt mich nicht. Und was noch schlimmer ist: Solche kosmetischen Sprachmanipulationen leisten der Illusion Vorschub, man sei schon tugendhaft, nur weil man etwas nicht ausspricht; bestimmt würden Millionen von Menschen sich gar zu gern der Täuschung hingeben, sie seien keine Rassisten, bloß weil die rassistischen Schimpfwörter aus dem Vokabular verschwunden sind.

Während der acht Monate und siebzehn Tage, die ich das Pech hatte, im widerlichsten aller Länder, nämlich in Saudi-Arabien, zu arbeiten, schmökerte ich mit Vorliebe in den zerfledderten Überresten westlicher Presseerzeugnisse, aus denen Scharen filzstiftschwingender Zensoren gewissenhaft alle unsittlichen Wort- und Bildbeiträge getilgt hatten. Im Sportteil des *Guardian* waren die Beine der Fußballspieler regelmäßig geschwärzt; Mrs. Thatchers Gesicht verbarg sich hinter einem Schleier aus schwarzer Tinte, und alle anstößigen Wörter, namentlich jene aus einem semitischen Kontext, wurden kategorisch entfernt.

Eines Tages stieß ich auf folgendes Werbeinserat: »Gönnen Sie sich ein Glas *orange* ▄▄▄ zum Frühstück.« Das geheimnisvolle unschickliche Wort verschwand unter einem kleinen schwarzen Balken. Ich zerbrach mir den Kopf, um herauszufinden, vor welcher unzumutbaren Flüssigkeit man mein keusches Auge bewahren wollte. »Orange Wodka?« Zum Frühstück? »Orange Whisky?« Mit Cornflakes?

Und dann fiel der Groschen. Es ging um nichts als gewöhnlichen Orangensaft: »*Orange juice!*« Kapiert? Sagen Sie sich das Wort laut vor und achten Sie auf den Klang. Klingt es nicht so ähnlich wie *jews*, Juden? Na bitte!

Okay, okay, die Saudis sind Schweine und dümmer, als die Polizei erlaubt, aber ihre Denkweise unterscheidet sich nicht allzu sehr von derjenigen, die mit einem »Nigger«-freien Wörterbuch Rassenvorurteile zu beseitigen hofft. Israel bleibt bestehen, egal wie oft man irgendeinen unschuldigen *juice* in den Zeitungen schwärzt, und es wird weiter Amerikaner geben, die Nigger hassen, ob die nun im Wörterbuch stehen oder nicht.

Ohne ein Geheimnis ist alles nichts

Wenn man einen Kriminalroman schreiben will, muß man ein paar wichtige Entscheidungen treffen, bevor man mit der Arbeit beginnt. Zunächst einmal muß man, glaube ich, die Frage der Perspektive klären. Der Autor muß festlegen, ob die erzählende Person selbst eine Figur im Roman sein soll und nun dreihundert Seiten lang mitteilt, was »ich« sah, dachte und entdeckte, oder ob die Geschichte in der dritten Person erzählt werden soll. Im letzteren Fall stellt sich die Frage, ob der Erzähler mit allwissender, distanzierter Stimme sprechen soll oder ob das berichtende Bewußtsein einer der Figuren im Buch gehören wird.

Die praktische Gefahr, die mit dem Erzählen in der ersten Person verbunden ist, liegt auf der Hand: Sie betrifft die Informationsbeschaffung. Es gibt nur eine beschränkte Zahl von Möglichkeiten, wie eine Figur in einem Roman an Informationen kommen kann: Sie kann etwas hören, etwas sehen oder etwas lesen (gewiß, sie kann auch riechen und schmekken, aber das bringt uns nicht wirklich weiter). Hört sie jemandem zu? Belauscht sie jemanden? Bekommt sie zufällig etwas mit? Wenn sie dem zuhören soll, was andere ihr erzählen, muß sie so sympathisch angelegt sein, daß viele unterschiedliche Leute Vertrauen zu ihr fassen und ihr Geständnisse machen. Wenn sie lauscht oder zufällig etwas mitbekommt, muß sie viel Glück haben und jeweils am richtigen Ort sein, wenn dort die falschen Sachen gesagt werden.

Der richtige Ort. Wo immer er sein mag, die Figur muß jedenfalls viel Zeit dort verbringen, um mitzubekommen, was vor sich geht und wer was tut. Sie muß mit anderen Figuren genau in dem Augenblick zusammensitzen, wenn sie bereit sind, den Mund aufzumachen; sie muß Zugang zu Orten haben, an denen Informationen verborgen liegen könnten; sie muß clever genug sein, Bruchstücke von Informationen zusammenzusetzen, bevor eine andere Figur es tut und, was noch wichtiger ist, bevor der Leser es tut.

So weit die praktischen Überlegungen; hinzu kommen die ästhetischen. Was für ein Mensch soll der Erzähler, soll die Erzählerin sein? Er muß, sie muß interessant genug sein, um die Aufmerksamkeit des Lesers das ganze Buch hindurch zu fesseln. Der Leser muß die Erzählerfigur sympathisch finden können, er soll sie mögen, soll sich über ihren Erfolg freuen, vor allem, wenn der Schreiber mit dem Gedanken spielt, sie in einem anderen Buch noch einmal zu verwenden.

Wenn ein Ich erzählen soll, muß der Autor bestimmen, wie sehr dieses Ich ihm gleichen soll. Eine wichtige Frage ist die des Geschlechts: Soll das erzählende Ich das gleiche Geschlecht haben wie der Autor, wie die Autorin? Sodann die Frage des allgemeinen Bildungs- und Intelligenzniveaus. Ich habe mal zwei Jahre lang Kriminalromane für die *London Sunday Times* besprochen, und noch jetzt kommen mir die Tränen, wenn ich an all die hochtrabenden Anmaßungen ungebildeter Leute denke – die einfallslosen »orientalischen Teppiche« und die »Ölgemälde«, die doch nur schmerzlich deutlich machen, daß der Autor keine Ahnung von dem Unterschied zwischen einem Nain und einem Sarugh oder zwischen einem Picasso und einem Degas hat. Mir scheint es ratsam, sich einen Erzähler zu schaffen, der einem selbst ziemlich ähnlich ist, zumindest was Intelligenz und Bildungsniveau angeht. So zu tun, als gehöre man zum anderen Geschlecht, ist erheblich einfacher, als den Anschein zu erwecken, man sei schlauer, als man wirklich ist.

Was für eine Familie hat der Erzähler, und sollen seine Angehörigen in der Geschichte eine Rolle übernehmen? Wie steht es mit seinem Beruf? Was tut er, und was für Spezialkenntnisse verlangt dieser Beruf vom Autor? Die Berufswahl hat natürlich auch Auswirkungen darauf, wie der Erzähler in die Handlung gerät.

Zur Zeit ist es in Serienromanen Mode, den Erzähler von Buch zu Buch durch die Zeit schreiten zu lassen und den Leser nach und nach mit immer mehr Informationen über sein Privatleben zu versorgen. Wer anfängt zu schreiben, weiß nie, ob nicht der Erfolg des ersten Buches ein zweites und ein drittes nach sich zieht. Deshalb ist man gut beraten, einen Erzähler zu schaffen, der so jung oder so interessant ist, daß er auch in künftigen Büchern auftreten kann.

Wenn in der dritten Person erzählt werden soll, wie es in den meisten Romanen geschieht, dann stellen sich andere Fragen, die geklärt werden müssen. Wie weit reichen Wissen und Kenntnisstand des Erzählers, und was für Anspielungen macht er? Mir scheint, man muß bei diesen Überlegungen vor allem das Zielpublikum im Auge behalten. Wer für ein amerikanisches Publikum schreibt, muß einen bestimmten – leider ziemlich niedrigen – Wissensstand voraussetzen, der sich von dem eines europäischen Publikums unterscheidet. Auch das Niveau der Prosa muß bedacht werden. Will man lange, komplizierte Sätze bauen, oder sollen sie klar und einfach sein, wie dies in zeitgenössischen Kriminalromanen häufig der Fall ist? Soll es im Text Anspielungen auf die griechische Vasenmalerei oder auf »Baywatch« geben? Nichts ärgert den Leser so sehr wie eine Anspielung, die er nicht versteht, denn sie weckt in ihm die Vorstellung vom hochnäsigen, überheblichen Autor – und für diesen Autor ist das der Todeskuß.

Humor? Was soll der Erzähler komisch finden? Und was soll seiner Vorstellung nach der Leser komisch finden? Über eine Figur zu schreiben: von ihr die Wahrheit erwarten sei ungefähr so, als würde man von Mutter Teresa Modetips erwarten, ist etwas ganz anderes, als wenn man schreibt: Dies sei so, als würde man von Mutter Teresa einen Orgasmus erwarten. Noch indem ich dies niederschreibe, widert mich die Vulgarität dieser zweiten Formulierung an. Ein Schlaumeier, der es wissen will, braucht nur einen einzigen Fehltritt dieser Art zu begehen, und sein Buch wird über den Stapel der unverlangt eingesandten Manuskripte nie hinauskommen, falls aber doch, wird es den Leser nicht über die Seite hinauslocken, auf der diese Formulierung steht. Das hoffe ich zumindest.

Auch die ethischen Grundsätze des Erzählers und damit indirekt auch die des Autors oder der

Autorin müssen bedacht und bestimmt werden. Weil die meisten Krimis mit irgendeiner Lösung enden – der Bösewicht wird verhaftet, der Geschädigte bekommt seine Rache –, erwarten die Leser einen zielgerichteten Handlungsverlauf und einen Abschluß, zwei Vorzüge, mit denen das wirkliche Leben nur selten aufwarten kann. Deshalb muß der Autor bestimmen, wer bestraft werden soll und in welchem Umfang dies geschehen soll, wohl wissend, daß die Leser beides wünschen und wollen. Ein Genie wie Patricia Highsmith bringt es fertig, eine Reihe von ganz und gar unmoralischen Erzählern auftreten zu lassen, denen es, während sie ihre abscheulichen Taten erfolgreich ausführen, dennoch gelingt, sich die Sympathie des Lesers zu bewahren. Aber Patricia Highsmith war eben im Unterschied zu uns anderen ein Genie.

Wenn die Frage der Erzählerstimme geklärt ist, muß man festlegen, was für ein Verbrechen im Mittelpunkt stehen soll. Im sogenannten goldenen Zeitalter des Kriminalromans wurden die Morde meist aus persönlichen Motiven begangen, und die Aufgabe des Kriminalkommissars oder des Privatdetektivs bestand darin, herauszufinden, wer Lord Farnsworthy in der Bibliothek mit einem malaiischen Kris umgebracht hatte. Solche Bücher werden zwar immer noch geschrieben, aber eigentlich interessiert es niemanden mehr, wer Seine Lordschaft auf dem Gewissen hat. Deshalb hat der Kriminalroman seinen Blickwinkel erweitert und beschäftigt sich nun mit allgemeineren gesellschaftlichen Mißständen oder Verbrechen. Beliebt sind im Augenblick Themen wie Kindesmißbrauch, Umweltverschmutzung, Korruption, Drogenhandel, Mafia oder ein Cocktail aus diesen Motiven. Aber anders als der Mord an Seiner Lordschaft, bei dem der Verfasser allenfalls darauf achten mußte, die Halsschlagader richtig zu plazieren, verlangt jedes dieser neuen Themen vom Autor gründliche Recherchen, damit die Fakten stimmen. Er sollte darauf achten, daß das Kokain aus dem richtigen Land kommt, daß der Giftmüll auf dem richtigen Weg transportiert wird und daß auch seine Angaben über die Zusammensetzung der neuesten Designerdroge stimmen.

Wenn der Schreiber das Geschlecht der erzählenden Person, die Erzählperspektive und das Verbrechen festgelegt hat, steht er vor der Aufgabe, die Hauptfigur mit dem Geschehen in Verbindung zu bringen. Sofern der Held zur Polizei gehört, ist die Sache einfach: Er untersucht den Fall. Sofern er Privatdetektiv, Kopfgeldjäger, Anwalt oder sonst einer von denen ist, die sich im Umfeld des Verbrechens bewegen, verhält es sich genauso: Es ist ihr Job. Wenn der Protagonist jedoch nur zufällig in einen Fall verwickelt wird, muß sich der Schreiber ein Motiv für das Interesse ausdenken, das seine Figur an dem Verbrechen entwickelt, und er muß ihr obendrein die Mittel an die Hand geben, sich die Informationen zu verschaffen, die letztlich zur Lösung des *mystery,* des Rätsels oder Geheimnisses, führen. Und ein Geheimnis sollte schon dasein.

Ruth Rendells frühes Meisterwerk *A Judgement in Stone* (›Urteil in Stein‹) beginnt mit dem Satz: »Eunice Parchman tötete die Coverdales, weil sie weder lesen noch schreiben konnten.« Hier gibt es also anscheinend kein Geheimnis, weil wir die Täterin und sogar den Grund für ihre Tat von Anfang an kennen. Aber im weiteren Fortgang erfüllt das Buch den Leser mit einem atemberaubenden Grauen, indem es ihn miterleben läßt, wie sich das Verhängnis seinen Opfern nähert, wie sie jene Frage stellen und jene Entdeckungen machen, die sie in den Untergang führen werden, während der Leser stumm diesseits der Buchseite verharren muß und nichts tun kann, um die braven Leute vor dem Bösen zu retten, das in ihr Leben gedrungen ist. Aber auch Ruth Rendell ist ein Genie.

Viele zeitgenössische Kriminalromane zeigen eine Welt voller Korruption, und ebenso viele scheinen fasziniert von Serienmördern. Für die Bücher des goldenen Zeitalters dagegen war das Verbrechen meistens eine Unterbrechung im allgemein friedlichen Lauf einer geordneten Welt. Viele der neueren Romane haben eine »Problematik« – das heißt, sie äußern sich auf diese oder jene Weise über den allgemeinen Zustand der Welt. Es kann um den Machtmißbrauch von Leuten, die an irgendwelchen Schaltstellen sitzen, gehen oder um die Korruption, die sich fast unvermeidlich aus der Anhäufung von Macht ergibt. Agatha Christie hatte es nie mit einer »Problematik« zu tun, immer mit »Geheimnissen«.

Bevor man zu schreiben beginnt, sollte man die thematische Reichweite des Romans festlegen: Betrifft die Lösung nur eine einzige schuldige Partei, oder ist eine größere gesellschaftliche oder politische Gruppe in das Verbrechen verwickelt? Soll es überhaupt eine Auflösung geben, oder sollen die Schuldigen der Gerechtigkeit entgehen?

In meinem Kurs an der Universität Maryland erkläre ich den Studenten immer, das meiste von dem, was ich zu sagen habe, sei als Vorschlag gemeint – ich hätte nun mal diese Bücher geschrieben und würde seit mehr als vierzig Jahren solche Bücher lesen und hätte außerdem viel darüber nachgedacht, was zu einem solchen Buch gehört. Aber ein Buch schreiben ist etwas anderes, als ein chemisches Experiment auszuführen. Es gibt keine festen Regeln, und deshalb warne ich meine Studenten: Wenn ich mich mal zu einer Formulierung wie »Ihr sollt« oder »Der Autor soll« hinreißen lasse, dann bedeutet das eigentlich nur »Die meisten Autoren machen es so« oder »Das hat in vielen Romanen gut funktioniert«.

Aber gerade im Umgang mit jungen Autoren kann man der Versuchung nicht leicht widerstehen, ihnen einfach zu sagen, was sie tun sollen. Also sage ich ihnen, obwohl ich selbst es noch nie so gemacht habe, sie sollen sich eine Skizze machen, aus der hervorgeht, was in den verschiedenen Teilen ihres Buches geschehen wird. Ich selbst weiß am Anfang nie genau, was in einem Buch passieren wird. Trotzdem sage ich meinen Studenten, sie müßten die ganze Sache unbedingt durchplanen und das Ende müsse feststehen, ehe sie den Anfang niederschreiben. Anscheinend hilft es, wenn sich junge Autoren an eine solche Disziplin halten.

Über einen Punkt habe ich bisher noch nicht gesprochen, wahrscheinlich, weil er sich so schwer packen läßt: Der Autor muß die Gefühle, die der Leser ihm und seinen Figuren entgegenbringt, unbedingt unter Kontrolle haben. Für wenigstens eine der Gestalten seines Buches muß der Leser Sympathie empfinden. Es kann das Opfer sein, so daß die Suche der Hauptfigur nach demjenigen, der diese Person getötet oder ihr Schaden zugefügt hat, dringlich und bedeutungsvoll wird. Es kann auch die Hauptfigur selbst sein, so daß sich der Leser wirklich wünscht, sie möge in allem, was sie sich vornimmt, erfolgreich sein. Außerdem kommt es darauf an, daß der Leser den Erzähler mag – und diese Sympathie erwächst wohl vor allem aus den tausend ungreifbaren Einzelheiten, aus denen sich auch im wirklichen Leben ergibt, ob Menschen positiv aufeinander reagieren oder nicht. Deshalb darf der Erzähler den Leser nicht herablassend oder gönnerhaft behandeln, sondern muß ihm Respekt entgegenbringen und ihn ernst nehmen. Wenn der Erzähler arrogant sein soll, muß sich diese Arroganz gegen Leute richten, die noch arroganter sind als er. Wenn der Erzähler direkt oder indirekt ein moralisches Urteil fällen soll, dann muß es so ausfallen, daß der Leser jedenfalls zustimmt. Ich empfehle allerdings, jeglichen Parteieifer – sei es in Fragen der Ökologie, der Religion oder des Joggings – zu vermeiden.

Ein Beispiel dafür, wie wichtig das sein kann, findet man wiederum bei Patricia Highsmith. Ripley ist ein Mörder; fast könnte man ihn als Monster bezeichnen. Und trotzdem ist er auf eine gefährliche Weise sympathisch – eine Entdeckung, für die seine Opfer einen hohen Preis zahlen. Wäre er nicht so sympathisch und würden die Leser nicht so erfolgreich dazu verleitet, sich seine Meinungen anzueignen und Verständnis für seine Entscheidungen aufzubringen, dann müßte das Buch scheitern, es würde durch die moralische Verkommenheit im Herzen der Hauptgestalt ins Bodenlose gezogen. So aber wirken Ripleys Charme, sein Humor, seine geistreiche Art derart verführerisch, daß viele Leser über einen kleinen Mord hier und bißchen Gewalt dort gern hinwegsehen.

Ein anderer Trend des modernen Kriminalromans geht dahin, die Handlung in einer bestimmten »Welt« oder »Szene« spielen zu lassen: Sport, Gastronomie, Kunst, Theater, das antike Rom, das viktorianische England… Nun sind Krimileser oft intelligente, gebildete Leute. Deshalb empfinden sie mitunter Schuldgefühle, wenn sie Mordgeschichten lesen. Wenn nun der Verfasser sein Buch in einer »Szene« ansiedelt und dem Leser allerlei Tatsachen und Informationen über diese Welt liefert, dann versorgt er ihn nicht nur mit einer Geschichte, er hilft ihm auch, das Gesicht zu wahren, indem er ihm vorgaukelt, er läse etwas Informatives, daher Wertvolles.

Der Schreiber, der seinen Roman in einer solchen Welt plazieren will, sollte sich in ihr sehr gut auskennen. Mein Lieblingsbeispiel für das, was hier schiefgehen kann, ist ein kürzlich erschienener Roman, der im Rom des Kaisers Vespasian spielt. Hier trägt die Heldin eine Toga (das förmliche Gewand des freien römischen Mannes) und bekommt Briefe auf Papier, das in Europa noch für mindestens weitere tausend Jahre nicht in Gebrauch kam.

Über das Umschreiben, Redigieren und Überdenken habe ich wenig zu sagen, denn mir scheint, die Entscheidungen, die hier gefällt werden, hängen ganz von den Eigenheiten des einzelnen Autors ab. Ich empfehle allerdings, das eigene Buch mit jemandem zu besprechen, den man für klüger hält, als man selbst ist. Ich stelle immer wieder fest, daß ich, wenn ich mit jemandem einen Plot bespreche oder ihm Motive, Zusammenhänge und Handlungsverlauf erkläre, auf bisher übersehene Ungereimtheiten in meiner Geschichte stoße.

Wem man das Manuskript zum Lesen gibt, hängt davon ab, was für ein Buch man schreiben will. Soll es eine Mordgeschichte im alten Stil sein, dann sollte sie jemand zu lesen bekommen, der schon viele Geschichten dieser Art kennt. Wenn der Schreiber aber ein ernsthafteres Ziel verfolgt, dann sollte er das Manuskript jemandem geben, der keine Mordgeschichten liest, sondern das, was ich bis an mein Grab »richtige Bücher« nennen werde. Natürlich steht es dem Schriftsteller nachher frei, das, was solche Leser über sein Manuskript sagen, anzunehmen oder zu verwerfen. Negative Kritik ist übrigens leichter zu ertragen, wenn sich der Verfasser ganz von seinem Werk distanziert und so tut, als wäre es von jemand anderem geschrieben. Die Kritik, die einen oft wie ein Blitz treffen kann, schlägt dann fern vom eigenen Haus ein und tut weniger weh. Es kostet mich immer große Mühe, meine Studenten davon zu überzeugen, daß die Zuneigung oder die Achtung, die ich für sie empfinde, durch das, was ich womöglich über ihre Texte zu sagen habe, nicht im geringsten beeinträchtigt wird. Aber den Text zu beurteilen – darauf verstehe ich mich, und nichts, was ich für den Verfasser vielleicht empfinde, beeinflußt meine Meinung über das, was ich lese.

Vor dreißig Jahren hat die amerikanische Lyrikerin Elizabeth Bishop unter dem Pseudonym »Mr. Margolis« eine Zeitlang *creative writing* unterrichtet. Über ihre Erfahrungen dort schreibt sie: »Die meisten meiner bemitleidenswerten Bewerber hatten anscheinend nie in ihrem Leben etwas gelesen, außer vielleicht eine einzelne, besonders denkwürdige Geschichte vom Typ ›Wahrhaftiges Geständnis‹. Die gewaltige Kluft zwischen den sonderbar farblosen, zusammengestückten kleinen Seiten, die sie mir schickten, und dem, was sie an Gedrucktem sahen, fiel ihnen überhaupt nicht auf. Oder sie dachten, Mr. Margolis brauche nur seinen Zauberstab zu schwingen, und schon würden die kleinen Haufen trübseliger Wortknochen, wie Hühnerbeine oder Fischgräten, Fleisch und Lebendigkeit ansetzen und sich in packende, ergreifende, spannende Geschichten und ausgewachsene Romane verwandeln.«

Aber so funktioniert es leider nicht.

Verräterische Formulierungen

Vor ein paar Wochen traf ich mich zum Essen mit einem alten Freund, einem amerikanischen Arzt und Spezialisten für Rehabilitationsmedizin, der heute in Miami praktiziert. Nachdem wir uns bei Tisch zunächst, wie nicht anders zu erwarten, über gemeinsame Freunde ausgetauscht hatten, darüber, wo sie lebten, was sie machten, kamen wir auf unsere eigene Arbeit und unsere Zukunftspläne zu sprechen. Währenddessen humpelte eine Frau an unserem Tisch vorbei, und mein Freund meinte beiläufig: »Sie sollte sich die Hüfte richten lassen«, bevor er sich wieder seiner Pasta zuwandte.

»Was?« entgegnete ich in der mir eigenen eleganten Ausdrucksweise. Am Gang dieser Frau, erklärte er daraufhin, an der Art, wie sie ihr Gewicht verlagere, könne er erkennen, daß sie ein Problem mit der linken Hüfte habe, welches sich jedoch aller Wahrscheinlichkeit nach auf operativem Wege beheben ließe. Das brachte mich auf eine Idee, und so bat ich ihn auf dem Rückweg zu seinem Hotel, doch einmal die Passanten unter die Lupe zu nehmen. Woraufhin er reihenweise Rückenschäden, Fußleiden und die Folgen verschleppter Verletzungen diagnostizierte.

Zu den ausrangierten Zitatfetzen, die noch in meinem Hinterkopf herumschwirren, gehört der Ausspruch jenes Franzosen, der eines Tages staunend feststellt, daß er Prosa spricht. Ungefähr so überrascht wie er war ich von der Entdeckung, daß der Gang eines Menschen (etwas, worauf ich bisher nie sonderlich geachtet hatte) Rückschlüsse auf das erlaubt, was man in der Architektur Konstruktionsprobleme nennt. Mein Freund mit seinem geschulten Auge konnte allein aufgrund des Gangs einen medizinischen Befund erstellen; und darüber hinaus hatte er auch gleich eine Therapie zur Hand, sehr oft, jedoch nicht immer, einen chirurgischen Eingriff.

Später, auf dem Heimweg, machte ich mir Gedanken über den geschulten Blick. Diejenigen von uns, die seit Jahrzehnten mit Literatur und Sprache arbeiten, haben auf ihrem Gebiet vergleichbare diagnostische Fähigkeiten entwickelt, auch wenn manch einer sich dessen gar nicht bewußt ist.

So selbstverständlich, wie die Menschen gehen, sprechen und schreiben sie auch und verraten dabei unwillkürlich eine Menge über sich, ja enthüllen nicht selten massive psychologische Probleme. Spontan fallen mir zwei Beispiele aus Referaten meiner Studenten ein.

Ein junger Mann, der die Geburt seines Sohnes als Thema gewählt hatte, schrieb: »Nach siebzehn Stunden Wehen wurde ich es leid, mir das Gejammer meiner Frau anzuhören.« Und ein Kommilitone von ihm beendete die weitschweifige, obendrein schlecht formulierte Schilderung der Fehlgeburt seiner Frau mit dem Satz: »Im nachhinein ist es eigentlich nicht so schlimm, weil es nur ein Mädchen geworden wäre.«

Tja, wo fängt man da an, wo hört man auf? Machen wir es kurz und einigen uns vorab darauf, daß beide Kommentare verabscheuungswürdig sind und jene leichte Erschütterung auslösen, die – mit ein bißchen Glück für die betroffenen Ehefrauen – ins Erdbeben einer Scheidung münden werden. Bemerkenswert auch, mit welch arroganter Unbekümmertheit die beiden ihre Ansichten preisgaben – offenbar im Vertrauen darauf, daß niemand etwas dabei finden würde. Und das kann doch wohl nur glauben, wer völlig unempfänglich ist für die Sprache und ihre Wirkung. Von Rücksicht auf ihre Frauen und die Menschheit im allgemeinen ganz zu schweigen.

In einer Epoche, die Sinnhaftigkeit durch leere

Phrasen ersetzt hat und Filme nur noch aus Krach und Blutvergießen zusammenschustert, muß man offenbar damit rechnen, daß auch die Sprache ihre Vormachtstellung als das wichtigste Werkzeug verliert, mit dem wir einander unsere Gedanken und Gefühle offenbaren. Wenn uns der Sinn erst einmal abhanden gekommen ist, verlieren wir zwangsläufig auch die Fähigkeit, ihn zu ergründen.

Und so hinken viele Menschen durch ihr sprachliches Leben, ohne die geringste Ahnung, was sie durch Wort und Schrift verraten. Denjenigen mit dem geschulten diagnostischen Ohr bleibt es überlassen, Verletzungen oder tiefliegende Strukturschwächen auszumachen, wo immer wir sie hören oder lesen. Anders als der Arzt sind wir jedoch auf die Diagnose beschränkt: Die Macht zu heilen bleibt uns versagt.

Nachweis
der Erstveröffentlichungen und Übersetzer

Über Venedig

›Mein Venedig‹ in *tv Hören & Sehen*, Hamburg, 7.10.00, und Tintenfaß Nr. 29, Zürich, Oktober 05

›Venezianischer Pulsschlag‹ in *Der Standard*, Wien, 11.4.97

›Venezianische Müllabfuhr‹ in *Die Weltwoche*, Zürich, 31.7.97

›Tatort Kasino‹ in *Zeit-Magazin*, Hamburg, 5.3.98

›Bürokratie all'italiana‹ in *Die Weltwoche*, Zürich, 12.3.98

›Diplomatischer Zwischenfall‹ unter dem Titel ›Kleiner Zwischenfall‹ in *Die Weltwoche*, Zürich, 27.7.00

›Leichte und schwere Kost‹ in *tv Hören & Sehen*, Hamburg, 18.12.04, und unter dem Titel ›Non mangiare, ti fa male‹ in *Die Weltwoche*, Zürich, 11.2.99

›Neue Nachbarn‹ in *Die Weltwoche*, Zürich, 8.4.99; auch unter dem Titel ›Die weltberühmte Autorin über ihre liebenswerten Nachbarn‹ in *tv Hören & Sehen*, Hamburg, 11.9.99

›Das Höllenhaus‹ in *Material*, Zürich, Nr. 1, 1999

›Mordlust‹ in *Geo Special*, Hamburg, Nr. 1, 2004, unter dem Titel ›Wenn Donna Leon Mordlust packt‹

›Da Giorgio‹ unter dem Titel ›Donna Leon und Giorgio Olmoni‹ in *Tages-Anzeiger*, Zürich, 2.4.98

›Arme Leute‹ in *Eine Amerikanerin in Venedig*, Diogenes, Zürich, 2000

›Kleiner Zwischenfall‹, ›Mordlust‹ und ›Da Giorgio‹ in der Übersetzung von Christa E. Seibicke, die übrigen Texte in der Übersetzung von Monika Elwenspoek

Über Musik

›Sieben Warnungen für den Opernbesuch‹ unter dem Titel ›Ein haariges Vergnügen‹ in *Die Weltwoche*, Zürich, 14.1.99

›Wie Schönheit uns befreit‹ unter dem Titel ›Schönheit macht uns frei‹ in Musik & Theater, Zürich, Aug./Sept. 04

›La serva fedele – Cecilia Bartoli‹ unter dem Titel ›Donna Leon meets Cecilia Bartoli‹ im *Tages-Anzeiger*, Zürich, 6.2. 99

›Da capo – Maria Callas‹, im *Tages-Anzeiger Magazin*, Zürich, 13.9.97

›Die nordische Eisprinzessin – Anne Sofie von Otter‹ unter dem Titel ›Wenn Elvis Costello Arien hört‹ in *Die Weltwoche*, Zürich, 2.1.2003

›Deformazione professionale‹ unter dem Titel ›Ist der schlimmste Säufer der Stadt in der Oper? Sind belastende Briefe in den Handtaschen? Die Freizeit einer Schriftstellerin‹ in *Die Weltwoche*, Zürich, 25.7.02

›La serva fedele‹ in der Übersetzung von Thomas Bodmer, die übrigen Texte in der Übersetzung von Christa E. Seibicke

Über Mensch und Tier

›Mäuse‹ in *Sie+Er*, Beilage zum *Sonntagsblick*, Zürich, 5.6.05

›Weidgerechtigkeit‹ in *Die Weltwoche*, Zürich, 18.12.97

›Gladys und der Rasenmäher‹ in *Die Weltwoche*, Zürich, 25.9.97

›Das samtige Wunder‹ in *Die Weltwoche*, Zürich, 3.6.99

›Cesare liebt Kaninchen‹ in *Die Weltwoche*, Zürich, 7.5.98

›Dachse‹ unter dem Titel ›Kein Herz für Dachse‹ in *Die Weltwoche*, Zürich, 23.10.97

›Gastone, der Arbeitskater‹ in *Die Weltwoche*, Zürich, 6.5.99

›Der Siebenschläfer‹ unter dem Titel ›Gewalt gegen Mäuse‹ in *Die Weltwoche*, Zürich, 27.8.98

›Frontberichterstattung‹ in *Die Weltwoche*, Zürich, 17.12.98

›Blitz‹ in *Brigitte*, Hamburg, August 02

›Wie ich zum erstenmal Schafsauge aß‹ in *Brigitte Woman*, Hamburg, 1.6.05

›Mäuse‹, ›Dachse‹ und ›Wie ich zum erstenmal Schafsauge aß‹ in der Übersetzung von Christa E. Seibicke, ›Blitz‹ in der Übersetzung von Christiane Buchner, die übrigen Texte in der Übersetzung von Thomas Bodmer

Über Männer

›Sensual Classics‹ unter dem Titel ›Busen hin, Busen her‹ in *Die Weltwoche*, Zürich, 9.4.98

›Latin Lover‹ unter dem Titel ›Der ewige Lover‹ in *Vogue*, September 96

›Was sagt man im Bett?‹ in *Die Weltwoche*, Zürich, 3.7.97

›Der Drang‹ unter dem Titel ›Der Trieb‹ in *Emma*, März/April 98

›Pornographie‹ unter dem Titel ›O kleines Füßchen‹ in *Die Weltwoche*, Zürich, 4.6.98

›Bewaffnet‹ in *Emma*, Juli/August 98

›Ein triviales Sexspielchen‹ unter dem Titel ›Trivialerotische Spiele?‹ in *Die Weltwoche*, Zürich, 5.6.97, und danach unter dem Titel ›Una Puritana‹ in *Emma*, September/Oktober 1997

›Ich will Rache!‹ in *Emma*, November/Dezember 98

›Entwicklungsmanager‹ wird hier zum ersten Mal abgedruckt.

›Saudi-Arabien‹ wird hier zum ersten Mal abgedruckt.

›Geeignete Männer‹ unter dem Titel ›Der ewige Junge‹ in *Vogue*, April 97

›Entwicklungsmanager‹ und ›Saudi-Arabien‹ in der Übersetzung von Christa E. Seibicke, die übrigen Texte in der Übersetzung von Monika Elwenspoek

Über Amerika

›Meine Familie‹ wird hier zum ersten Mal abgedruckt.

›Mein Tomatenreich‹ wird hier zum ersten Mal abgedruckt.

›Die Beisetzung meiner Mutter‹ wird hier zum ersten Mal abgedruckt.

›XX Large‹ unter dem Titel ›Menschliche Fettgebirge‹ in *Die Weltwoche*, Zürich, 1.10.00

›Wir wären alle Hackfleisch, Madam‹ wird hier zum ersten Mal abgedruckt.

›Pornographen des Leids‹ in *Die Weltwoche*, Zürich, 18.11.99

›Pornographen des Leids‹ in der Übersetzung von Thomas Bodmer, die übrigen Texte in der Übersetzung von Christa E. Seibicke

›E-Mail-Monster‹ wird hier zum ersten Mal abgedruckt.

›Eine Leiche zum Dessert‹ unter dem Titel ›Erwürgen ist schön und gut, aber die Garotte‹ in gekürzter Form zum Geburtstag von Ruth Rendell (alias Barbara Vine) in *Die Welt*, Berlin, 19.2.00

›Keine Träne für Lady Di‹ in *Die Weltwoche*, Zürich, 20.11.97

›Sprachliche Manipulation‹ in *Die Weltwoche*, Zürich, 15.1.98

›Ohne ein Geheimnis ist alles nichts‹ in *Frankfurter Allgemeine Zeitung*, 30.5.98, und in der *Berner Zeitung*, 21.10.00

›Verräterische Formulierungen‹ in *Die Weltwoche*, Zürich, 30.7.98

›Ohne ein Geheimnis ist alles nichts‹ in der Übersetzung von Reinhard Kaiser, die übrigen Texte in der Übersetzung von Christa E. Seibicke

Das Hörbuch zum Buch

Donna Leon
Mein Venedig

Ausgewählte Geschichten aus dem Band
Über Venedig, Musik, Menschen und Bücher

Gelesen von HANNELORE HOGER

1 CD, Spieldauer ca. 75 Min.

Hörbücher im
Diogenes Verlag

Donna Leon
Mein Venedig

Ausgewählte Geschichten aus dem Band *Über Venedig, Musik,
Menschen und Bücher*. Aus dem Amerikanischen von Monika Elwenspoek
und Christa E. Seibicke. Sprecherin: Hannelore Hoger

Schon in ihren Brunetti-Romanen interessiert sich
Donna Leon nicht nur für kriminelle Mißstände, sondern auch für die Genüsse des Lebens. Die hier versammelten Geschichten handeln jedoch nicht nur von
guten Speisen. Vielseitig, wie sie ist, stellt sich Donna
Leon unerschrocken manche Frage – ihr Blick ist dabei ebenso unbestechlich wie anteilnehmend, und eines fehlt nie: Humor.

»Mit viel Ironie und eindringlichen Milieuschilderun-
gen beweist Donna Leon genaue Kenntnis von Gesellschaft und Mentalität der Menschen, die sie mit einem
Augenzwinkern schildert.«
Sabine Weiss / Berliner Illustrierte Zeitung

Gelesen von Hannelore Hoger: Krimi-Liebhaber kennen Hannelore Hoger als Fernsehkommissarin Bella
Block oder als Erzählerin in den Donna-Leon-Hör-
spielen.

Bernhard Schlink
Der Vorleser

Roman. Ungekürzte Lesung. Sprecher: Hans Korte

Sie ist reizbar, rätselhaft und viel älter als er... und sie
wird seine erste Leidenschaft. Sie hütet verzweifelt ein
Geheimnis. Eines Tages ist sie spurlos verschwunden.
Erst Jahre später sieht er sie wieder. Die fast kriminalistische Erforschung einer sonderbaren Liebe und
bedrängenden Vergangenheit.

»Bernhard Schlink ist ein genuiner Erzähler.«
Volker Hage / Der Spiegel, Hamburg

Gelesen von Hans Korte: »Hans Korte vermittelt dem
Hörer ein bis unter die Haut gehendes Erlebnis.«
General-Anzeiger, Bonn

Paulo Coelho
Der Zahir

Roman. Aus dem Brasilianischen von Maralde Meyer-Minnemann.
Autorisierte Lesefassung. Sprecher: Christian Brückner

Der Zahir ist die Geschichte einer Suche. Sie handelt
von der Beziehung zweier Menschen, die im gleichen
Abstand wie Eisenbahnschienen nebeneinanderher leben und einander verlieren. Eine gleichnishafte Erzäh-
lung über eine innere und äußere Reise, an deren Ziel
jeder sich selbst findet – und vielleicht auch wieder die
Liebe.

»Paulo Coelho – ein weltweites Phänomen.«
The New York Times

Gelesen von Christian Brückner: »Jedem Satz, den
Brückner spricht, hört man an, daß seine Worte vorher
gewogen wurden, nachgedacht, in den Rhythmen des
Textes verortet wurden.«
Begründung zum Deutschen Hörbuchpreis 2005

Ian McEwan
Saturday

Roman. Aus dem Englischen von Bernhard Robben.
Autorisierte Lesefassung. Sprecher: Jan Josef Liefers

Henry Perowne, 48, ist ein zufriedener Mann: erfolgreich als Neurochirurg, glücklich verheiratet, zwei be-
gabte Kinder. Das einzige, was ihn leicht beunruhigt,
ist der Zustand der Welt. Es ist Samstag, und er freut
sich auf sein Squashspiel. Doch an diesem speziellen

Samstag, dem 15. Februar 2003, ist nicht nur die größte Friedensdemonstration aller Zeiten in London. Perowne hat unversehens eine Begegnung, die ihm jeden Frieden raubt...

»Ian McEwan ist Garant für intelligente Spannung, hintergründige Psychologie, stilistische Finessen.«
Lilo Solcher / Augsburger Allgemeine

Gelesen von Jan Josef Liefers: »Eine großartige Stimme.«
brigitte.de

René Goscinny & Jean-Jacques Sempé
Der kleine Nick erlebt eine Überraschung

Zehn Geschichten aus dem Band *Neues vom kleinen Nick*.
Aus dem Französischen von Hans Georg Lenzen. Sprecher: Rufus Beck

»Die Geschichten vom kleinen Nick zählen längst zum Kanon der modernen Kinderbuchklassiker. Unverwüstlich wie *Der kleine Prinz* oder *Jim Knopf* werden sie auch von Erwachsenen immer wieder gern erinnert und an den Nachwuchs verschenkt. Über 7,5 Millionen Exemplare wurden bislang weltweit verkauft.« *Frankfurter Rundschau*

Gelesen von Rufus Beck: »Eine der derzeit beliebtesten und am meisten gefragten Stimmen. Von seiner kongenialen Lesung der Harry-Potter-Romane sind Klein und Groß gleichermaßen hingerissen.«
Buchjournal, Frankfurt

W. Somerset Maugham
Regen und andere Meistererzählungen

Ausgewählte Geschichten aus den Bänden
Ost und West und *Der Rest der Welt – Gesammelte Erzählungen* in zwei Bänden.
Sprecher: Marietta Bürger, Hans Korte, Friedhelm Ptok,
Werner Rehm, Charles Wirths

Maugham schreibt von Liebe, Tod und Eifersucht, vom Aufbegehren gegen das Schicksal und der Verzweiflung über die eigene Unzulänglichkeit. Wie kein anderer durchschaute er Eitelkeit und Wahnsinn der Menschen, doch spürt man hinter der leisen Ironie auch Mitgefühl und nicht zuletzt die Diagnose eines Arztes, der weiß, daß es für die menschliche Seele keine Rettung gibt.

»W. Somerset Maugham ist ein glänzender Beobachter. Menschen und Umwelt gewinnen bei ihm höchste Präsenz.« *D. H. Lawrence*

Diogenes Hörbuch Sammler-Edition. In edler Geschenkverpackung und mit vierfarbigem Booklet zu Leben und Werk des Autors.

Die kleine Diogenes
Musikbibliothek

»Wenn die Musik der Liebe Nahrung ist, spielt weiter!
gebt mir volles Maß!«
William Shakespeare, Was ihr wollt

»Ohne Musik wäre das Leben ein Irrtum.«
Friedrich Nietzsche

● **Von und zu diversen Komponisten**

Die schönsten Liebesbriefe deutscher Musiker
Herausgegeben von Anton Friedrich
und Silvia Sager

Kurt Pahlen
An die Freude
Das Leben von Gluck, Haydn, Mozart, Beethoven, Schubert
In Zusammenarbeit mit Rosmarie König

Wolfgang Amadeus Mozart
Briefe
Herausgegeben, ausgewählt und mit einem Nachwort von Horst Wandrey

Lorenzo Da Ponte
Mein abenteuerliches Leben
Die Erinnerungen des Mozart-Librettisten
Aus dem Italienischen von Eduard Burckhardt. Mit einem Nachwort von Wolfgang Hildesheimer

Eduard Mörike
Mozart auf der Reise nach Prag
Novelle

Dorothea Leonhart
Mozart
Eine Biographie

Ludwig van Beethoven
Briefe
Herausgegeben von Erich Valentin

Franz Schubert
Briefe
Tagebuchnotizen, Gedichte

Wilhelm Müller
Die Winterreise
Mit Zeichnungen von Ludwig Richter und einem Nachwort von Winfried Stephan

Ludwig Marcuse
Richard Wagner
Ein denkwürdiges Leben

● **Literarisches zum Thema Musik**

E. W. Heine
Wer ermordete Mozart? Wer enthauptete Haydn?
Mordgeschichten für Musikfreunde

E. W. Heine
Wie starb Wagner? Was geschah mit Glenn Miller?
Neue Geschichten für Musikfreunde

Hartmut Lange
Das Streichquartett
Novelle

Urs Widmer
Der Geliebte der Mutter
Roman

Viktorija Tokarjewa
Der Pianist
Erzählungen. Aus dem Russischen von
Angelika Schneider

Donna Leon
Venezianisches Finale
Commissario Brunettis erster Fall
Roman. Aus dem Amerikanischen von
Monika Elwenspoek

Donna Leon
*Über Venedig, Musik,
Menschen und Bücher*
Deutsch von Thomas Bodmer, Chri-
stiane Buchner, Monika Elwenspoek,
Reinhard Kaiser und Christa E. Sei-
bicke

Patrick Süskind
Der Kontrabaß

Sempé
Sempé's Musiker
Stark erweiterte Neuausgabe

Loriot
Kleiner Opernführer
Überarbeitete und erweiterte Neuaus-
gabe

● **Kinderbücher zum
Thema Musik**

Ute Krause
*Der Löwe auf dem
Dachboden*

Tomi Ungerer
Tremolo

Das große Liederbuch
Die schönsten deutschen Volks- und
Kinderlieder, gesammelt von Anne
Diekmann unter Mitwirkung von
Willi Gohl, mit vielen bunten Bildern
von Tomi Ungerer

Das kleine Liederbuch
Die schönsten Kinderlieder, gesammelt von Anne Diekmann, mit vielen
bunten Bildern von Tomi Ungerer

Tatjana Hauptmann
Adelheid geht in die Oper

Barbara Vine
im Diogenes Verlag

Barbara Vine (i.e. Ruth Rendell) wurde 1930 in London geboren, wo sie auch heute lebt. Sie arbeitete als Reporterin und Redakteurin für verschiedene Magazine. Seit 1965 schreibt sie Romane und Stories, die verschiedentlich ausgezeichnet wurden.

»Barbara Vine alias Ruth Rendell ist in der englischsprachigen Welt längst zum Synonym für anspruchsvollste Kriminalliteratur geworden.«
Österreichischer Rundfunk, Wien

»Ihre Romane spüren den finstersten Besessenheiten, den Obsessionen, Zwängen und emotionalen Abhängigkeiten, den Selbsttäuschungen und Realitätsverlusten von Liebes- oder Haßsüchtigen nach. Barbara Vine: die beste Reiseführerin nach Tory-England und ins Innere der britischen Kollektivseele.«
Sigrid Löffler/profil, Wien

Die im Dunkeln sieht man doch

Es scheint die Sonne noch so schön

Das Haus der Stufen

Liebesbeweise

König Salomons Teppich

Astas Tagebuch

Keine Nacht dir zu lang

Schwefelhochzeit

Der schwarze Falter

Heuschrecken

Königliche Krankheit

Alle Romane aus dem Englischen von Renate Orth-Guttmann